LE FÉLIN
Agent secret médiéval

Le papyrus de maître Pirus

Arthur Ténor

Arthur Ténor vit en Auvergne et travaille dans le domaine de la formation professionnelle. Il rêve de se consacrer pleinement à sa passion : l'écriture de romans pour la jeunesse. Il a déjà publié des récits fantastiques (*Alerte aux virulents*, éditions Magnard, coll. «Les Fantastiques») et des romans d'aventures (*Le Dernier des Templiers*, éditions Hachette Jeunesse, coll. «Le Livre de Poche Jeunesse»).

Un formidable terrain de jeu

«Pour un auteur, l'univers médiéval est un formidable terrain de jeu et d'inspiration. Je me revois écolier, pourfendant l'air de mon épée imaginaire, bataillant furieusement, tantôt chevalier accroché au dos d'un camarade, tantôt destrier bousculant l'ennemi. En imaginant les aventures du Félin, je retrouve un peu de ces rêves d'héroïsme de mon enfance.»

ARTHUR TÉNOR

LE FÉLIN
Agent secret médiéval

Le papyrus de maître Pirus

Arthur Ténor

Illustrations de Jean-Michel Ponzio

J'AI LU jeunesse

Les inventions de maître Pirus

La Chariote de grand chemin

Structure allégée,
néanmoins solide

Roue à moyeu renforcé
(supporterait un
hippocampéléphantocamélos)

Enrobage
de peau
(pour missions
nocturnes)

Lamelles
souples
anti-secousses

1
Les cavaliers de la nuit

La nuit est paisible et bruissante de vie sous les hautes frondaisons. Tout près résonne le brame d'un chevreuil comme un lugubre aboiement. La lune pleine projette sur le chemin de noires ombres mouvantes...

Le vent apporte soudain un son rythmé, étranger à la forêt, un son qui s'amplifie rapidement et semble répandre l'affolement. C'est le martèlement des sabots d'un cheval lancé au galop. Pas un instant le voyageur ne ralentit l'allure. Le voici qui surgit au détour du chemin. Cape au vent, courbé sur l'encolure de sa monture, on croirait qu'il fuit le diable. Un court moment après son passage, trois cavaliers coiffés d'un heaume apparaissent à leur tour. Chacune de ces inquiétantes silhouettes est prolongée d'une lance.

Le fuyard parvient à la croisée Saint-Benoît où le chemin se scinde en deux. L'une des voies mène à la forteresse du seigneur Hugues de Montbrisac, l'autre traverse la forêt jusqu'à la rivière Allier. À la patte d'oie se dresse une croix de pierre sous laquelle pèlerins et voyageurs peuvent se reposer et prier. Mais le cavalier de la nuit n'a nulle envie de faire une pause ; quant à prier, il ne fait que cela depuis que les trois ombres l'ont pris en chasse. C'était la veille, au crépuscule, alors qu'il traversait un vallon. Il n'a réussi à leur échapper que grâce à la puissance de son étalon.

Devant l'hésitation de son maître, ce dernier piaffe d'impatience. L'homme se retourne vivement. Les chasseurs sont en vue !

— Peste du diable ! Ils ne me lâcheront donc jamais ! grince-t-il.

Il éperonne son cheval pour s'engouffrer dans le chemin de gauche. Après une longue descente, il pénètre dans une épaisse futaie de bouleaux. Il se retrouve alors plongé dans une obscurité opaque qui l'oblige à avancer avec prudence pour ne pas être désarçonné par une branche basse. Il frissonne ; la forêt paraît s'être resserrée comme pour l'étouffer.

« Si je me suis trompé, songe-t-il, mon sort est scellé. Ces diables doivent y voir aussi clair dans les ténèbres que moi sous le soleil. »

Ce n'est pourtant pas le cas, car à peu de distance dans son sillage il entend le pas de leurs chevaux menés au petit trot, et même le son de leur voix. Ils parlent un curieux langage saccadé. Le jeune homme se signe. Son maître l'avait prévenu que ce voyage pourrait se révéler périlleux, mais pas à ce point. Il se dit que s'il avait été mieux informé, il aurait envoyé paître le «vieux sage» comme il le surnomme. Quoique… Avait-il bien le choix étant donné l'agitation à laquelle l'alchimiste était en proie? Il sent contre son torse, dissimulé sous sa cotte, le pli de parchemin soigneusement cacheté qu'il lui a confié. Ce message est-il d'une telle importance qu'on voudrait lui trancher la gorge pour s'en emparer? Ces pensées l'aident à ne pas céder à la panique qui le guette depuis le début de cette folle course à la vie.

Une exclamation à moins de vingt pas derrière lui le fait tressaillir:

— Ne fuyez point! Nous ne vous voulons aucun mal!

La voix du chasseur, avec son accent guttural, résonne dans l'obscurité comme dans une caverne de l'enfer.

— Nous ne voulons que vous parler! assure-t-il avant d'ajouter: Nous vous donnerons de l'or, beaucoup d'or!

Le jeune homme paierait cher pour savoir à quel genre de créatures il a affaire…

— Rien ne m'intéresse que de remplir ma mission! répond-il en se dressant sur ses étriers. Suivez-moi si cela vous chante, mais ne m'approchez point car je suis de nature prudente et m'enfuirai comme un poltron.

— Nous vous le répétons, François de Molène, nous ne voulons point vous occire. Seulement conclure un marché, un marché qui vaut de l'or!

Le jeune cavalier frissonne en entendant prononcer son nom. Cette fois, plus de doute, c'est bien à des démons qu'il doit échapper. Malgré le risque de heurter un arbre, il lance son étalon au galop. À plusieurs reprises, des feuillages le fouettent au visage et aux bras, puis quelques rayons de lune finissent par percer la voûte végétale... Et tout à coup la forêt s'ouvre sur de vastes pâturages. Au loin se découpe sur une hauteur la lourde masse du château de Montbrisac.

— Dieu soit loué!

Le chemin descend en pente douce vers un pont de pierre qui jette son unique arche au-dessus d'une petite rivière. Il remonte ensuite en droite ligne jusqu'au château. Les chasseurs jaillissent de la forêt comme des furies. François de Molène, qui s'est imprudemment arrêté pour se repérer, se retrouve cerné par les trois cavaliers noirs. Leur heaume percé d'une croix est effrayant.

— Cessez de fuir! hurle l'un d'eux. Et ne résistez point ou nous...

— Yaaa! crie le jeune messager.

Cabrant sa monture, il affole celle qui lui fait face. La course-poursuite reprend !

Le fugitif se croit sauvé en atteignant le pont mais, peu avant de le franchir, son étalon épuisé bute contre une pierre et s'effondre en avant. Le messager, projeté cul par-dessus tête, atterrit dans l'herbe. Il se relève presque aussitôt, quelque peu étourdi. Les chasseurs s'apprêtent à l'encercler à nouveau, cette fois pour l'hallali.

François jette des regards affolés autour de lui... Hors le pont, il n'est aucun abri accessible en seulement quelques foulées. Il se retourne pour faire face à l'assaillant, ainsi que le lui a appris son père, un valeureux chevalier errant. Les chasseurs abaissent leur lance. François distingue une croix rouge sur leur tunique ; elle ressemble à celle des croisés, mais... Il remet à plus tard la résolution de ce mystère. D'un bond de côté, il esquive la lance du cavalier de tête dont la monture se cabre. Échappant à une nouvelle attaque de ses agresseurs, il dévale la courte pente qui mène à la rive boueuse, s'empare de quelques cailloux, puis se réfugie sous l'arche de pierre. Au-dessus, les ordres claquent et la colère résonne. Bien vite, de part et d'autre du pont, les cavaliers commencent une prudente descente vers le cours d'eau. François songe qu'il n'est armé que de ces dérisoires projectiles, du poignard maure que lui a offert son père... et de son courage. Mais cela lui suffira pour vendre chèrement sa peau !

L'apparition soudaine de ces chasseurs nocturnes et de leur gibier n'a pas échappé à la vigilance de deux guetteurs postés sur les remparts du château.

— Je donne l'alerte ? demande l'un d'eux.

— Inutile de semer l'émoi sans savoir de quoi il retourne, répond son compagnon. Va plutôt sonner le Coucou d'Alarme du chevalier de Bréa.

Le garçon se précipite vers la tour de guet et tire vigoureusement une chaîne. Le système, tout récemment mis au point par maître Pirus, est constitué d'une succession de cordages et de poulies qui traverse le château jusqu'à la chambre d'Yvain de Bréa. Alors, il actionne un minuscule soufflet relié à un sifflet d'origine suisse :

— Coucou !

Le protecteur de la maison de Montbrisac, que la chute d'une feuille éveillerait, ouvre les yeux.

— Coucou !

Il est déjà sur pied.

— Coucou ! Coucou !

Bien qu'il s'agisse d'un signal d'alerte, c'est le sourire aux lèvres que le chevalier enfile chausses, bottes et surcot [1] matelassé.

— Coucou ! Coucou !

---

1. Surcot : au Moyen Âge, robe portée aussi bien par les hommes que par les femmes.

Une petite porte s'ouvre. Dans la pénombre, un adolescent blond, les yeux gonflés de sommeil et la démarche incertaine, apparaît dans l'encadrement :

— Que se passe-t-il ? articule-t-il d'une voix endormie.

— Descends préparer ma monture, Gilles. Et hâte-toi, il se pourrait que j'en aie besoin…

— Mmmoui ?

L'écuyer bâille à s'en décrocher la mâchoire. Pour le stimuler, son maître précise :

— Nous allons sauver une jeune fille en détresse…

— Oh Dieu ! J'arrive !

L'adolescent, qui approche de sa quinzième année, est en effet en pleine période d'anxiété amoureuse. Il craint de ne point être assez joli garçon, ni assez valeureux, pour attirer l'intérêt des demoiselles. Aussi n'en finit-il pas de harceler son chevalier de questions sur l'art de conquérir les faveurs d'une dame. De même maître Pirus, à qui il soumet toutes sortes d'énigmes ayant trait aux élans du cœur et du corps.

2
Le message perdu

François de Molène est en fâcheuse posture. Après avoir vaillamment repoussé à coups de pierres deux assauts des cavaliers noirs, il est assuré de finir empalé. À plusieurs reprises, ses agresseurs ont tenté de le soudoyer pour qu'il leur remette sa précieuse missive, mais chaque fois il a répliqué que *la loyauté a plus de valeur pour lui que tout l'or du diable*! Cependant, à l'approche de la mort, son courage vacille et son sens du sacrifice s'émousse.

Pendant que les cavaliers échangent de rapides propos, sans doute sur la manière d'en finir avec cet «horripilant freluquet», il fixe la rivière. S'il plongeait et se laissait porter par le courant, peut-être pourrait-il s'en tirer? Le problème est la fragilité du document que son maître lui a confié: «Il ne supporterait pas un séjour prolongé à l'humidité», l'a-t-il prévenu. Un bain rapide pourrait-il être assimilé à un séjour prolongé? s'interroge François. Son embarras est de courte durée. Les chasseurs ont mis pied à terre et, lance en main, s'apprêtent à l'extirper de son abri comme un bigorneau de sa coquille. François tire de sa cotte le message cacheté, puis il entre dans l'eau glacée. Derrière lui, un des chasseurs pousse une exclamation. Sans doute s'agit-il d'un avertissement, car ses acolytes sont soudain hésitants. Deux d'entre eux remontent en selle, tandis que le troisième décide de s'engager à pied sous le pont.

Tenant la missive au-dessus de lui, François, immergé maintenant jusqu'à la taille, éprouve toutes les peines du monde à résister au courant. Le cavalier noir lève sa lance, prend deux secondes pour ajuster son tir. L'arme atteint sa cible dans un choc sourd. François pousse un râle de douleur avant de couler lentement dans les eaux sombres, lâchant le parchemin qui s'éloigne au fil de l'eau. L'assassin entre dans la rivière pour le récupérer, puis se hâte de rejoindre ses compagnons à l'entrée du pont. L'un d'eux tend l'index vers le château d'où viennent de surgir deux cavaliers au grand galop. Sans échanger une parole, ils tournent bride et s'élancent vers la forêt.

Le chevalier de Bréa atteint bientôt le pont, mais l'ayant sitôt franchi il lève la main puis s'arrête brutalement. Son écuyer manque de le percuter.

— Holà, messire! J'ai failli vous renverser! proteste Gilles.

— Un bon cavalier doit toujours garder la maîtrise de sa monture, réplique le Félin. Tu n'as point vu mon signe?

— Vous m'avez fait signe? s'étonne le jeune écuyer, confus. Il faut dire que de nuit je n'y vois pas aussi clair que…

— Tais-toi, pipelet, et aide-moi à retrouver le propriétaire de cet étalon.

Gilles considère avec admiration et envie la bête qui paît au bord du chemin. Sous le clair de lune, son pelage noir lustré luit de superbes reflets. Tandis que son chevalier met pied à terre, il s'en approche et se lance dans sa nouvelle marotte, les savantes déductions:

— Je dirais que l'homme est un chevalier de haute noblesse, fort riche et sans doute d'un bel âge car ce harnais appartient à l'autre siècle… Avec certitude il s'agit d'un grand voyageur à en juger par l'état de la selle…

Un bruit de plongeon l'interrompt. Il se retourne, distingue la silhouette de son maître nageant à la poursuite… d'un bâton dressé hors de l'eau?! Non, il s'agit d'une lance fichée dans le dos d'un homme, près de l'épaule. Le Félin parvient à ramener le malheureux sur la rive.

— Gilles! Vite, une charrette! Et avertis maître Pirus qu'il va devoir soigner un blessé.

François de Molène ne reprend conscience qu'au soleil levant. Il perçoit d'abord des murmures autour de lui, puis la fraîcheur d'un tissu humide qu'on applique avec délicatesse sur son front.

— Oh! Il a souri! s'exclame une voix féminine.

— Allons, Francine, ne crie point si fort, tu vas l'effrayer! la houspille une autre femme.

Le blessé ouvre les yeux et son sourire s'élargit. Un joli minois orné de deux yeux bleu-vert, encadré d'une chevelure nattée châtain-roux, le dévisage avec bienveillance.

— Bienvenue au château de Montbrisac, dit Isabeau.

— Serais-je au paradis? s'enquiert le blessé.

— Absolument! répond une voix puissante. C'est ce que je me répète tous les jours.

François dévisage l'homme qui vient de parler; il correspond tout à fait au portrait que lui a brossé l'alchimiste Algarante: un quinquagénaire charpenté comme une armoire auvergnate et souriant sous une barbe poivre et sel, tel un perpétuel bon vivant... C'est le seigneur de ces lieux.

— Monseigneur, merci de m'avoir sauvé des eaux, murmure François.

— Non point! Cela fait belle lurette que je n'ai plus l'âge de sauver les gens. Remerciez plutôt le chevalier de Bréa, l'équivalent de ma moitié droite... la gauche étant allouée à ma fille, précise le seigneur en adressant un clin d'œil à Isabeau.

François salue d'un mouvement de tête le personnage aux traits réguliers et à la chevelure brune mi-longue, serrée sur la nuque, qui l'observe ou plutôt le sonde de son regard bleu nuit. Puis il se redresse sur un coude pour demander :

— Savez-vous si je puis voir le savant qu'on surnomme Pirus, maître Pirus ?

Un homme légèrement voûté par le poids des ans et celui de son immense savoir s'avance jusqu'au pied du lit :

— Mais je suis là, mon garçon, dit-il. Serait-ce moi que vous veniez voir ?

Terrassé par la douleur, François se laisse aller en arrière, la main crispée sur son épaule droite pliée dans un énorme bandage. Isabeau lui fait boire une tisane apaisante qui fait rapidement effet.

— Nous allons vous laisser, déclare le seigneur. Dans un jour ou deux…

— Non ! Il y a urgence. Je dois délivrer mon message au plus vite… (François se rend soudain compte qu'il est torse nu.) Le parchemin ! Le parchemin que m'a confié mon maître… Du diable, l'aurais-je perdu ?

— On vous l'a plus sûrement volé, suggère le Félin.

— Misère de moi ! gémit François. J'ai trahi la confiance de mon maître.

Tout heureux de ne pas avoir à patienter longtemps avant de savoir d'où vient ce mystérieux messager, le seigneur se rassoit :

— Nous vous écoutons, mon ami. Mais prenez votre temps, nous ne sommes point sur le gril.

— Mon maître doit l'être, c'est pourquoi il faut retrouver la missive que je devais remettre en mains propres à messire Pirus.

— Qui donc est votre maître ? s'enquiert Hugues de Montbrisac.

— Algarante, l'alchimiste…

— Algarante ! s'exclame maître Pirus. Mon vieux compagnon Algarante ! Est-il dans le malheur ?

— Non, mais lorsqu'il apprendra que j'ai perdu son message… Car voyez-vous, cela fait quelques semaines qu'il est entré en effervescence…

— Pour un alchimiste, quoi de plus normal ? le coupe le seigneur, grand amateur de bons mots.

Se tournant vers son savant-armurier-astrologue… et alchimiste, il demande :

— Vous vous connaissez donc depuis longtemps ?

— Oh certes ! J'avais vingt ans et lui guère plus quand nous avons ensemble décidé d'aller quérir en terre d'Orient quelques secrets ésotériques. Nous en sommes revenus cinq années plus tard, chargés chacun d'une bonne malle de souvenirs et de choses parmi les plus nébuleuses du monde connu.

Le vieil homme sourit. Une profonde nostalgie se dessine sur son visage ridé.

— N'y avait-il point parmi ces choses nébuleuses un carré de parchemin nommé *papyrus* ? poursuit François.

— Mais si! s'exclame le vieil homme abasourdi. Votre missive aurait-elle trait à ce papyrus?

— Je le pense...

— Qu'est donc cette bizarrerie? interroge le seigneur.

— Bizarrerie, certes, mais point un parchemin de peau ou de chanvre comme nous en connaissons, explique maître Pirus. Le papyrus est un papier tressé avec une espèce de roseau qu'on trouve le long du Nil et sur lequel les anciens Égyptiens traçaient leur singulière écriture. Que savez-vous exactement, messire... messire comment?

— François de Molène, fils du chevalier Bertrand de Molène, un valeureux croisé...

— Fichtre! Je l'ai connu, le brave! s'exclame le seigneur de Montbrisac. Mais... n'était-il point sans terre?

— C'est pourquoi je suis aujourd'hui valet et non point maître, répond François tristement. L'alchimiste Algarante m'a recueilli enfant, mais il n'a jamais réussi à m'enseigner la moindre notion d'alchimie. Il est vrai que je manque un peu de constance... Maître Pirus, possédez-vous ce papyrus?

Quelqu'un dans le fond de la pièce pouffe. Le vieux savant se retourne et dit:

— Je vous présente Gilles, l'écuyer du chevalier de Bréa. Un gentil garçon plein de ressources, mais... toujours prêt à rire bêtement.

— Pardonnez-moi, c'est... Pirus, papyrus, la rime est plaisante, explique l'adolescent rouge de confusion.

Le savant se retourne vers le blessé :

— Quand bien même posséderais-je ce papyrus, qu'en ferais-je ? demande-t-il.

— Vous me le confieriez afin que je le rapporte à l'alchimiste Algarante, car je crois qu'il est la clé du mystère. Voici quelques semaines, mon maître reçut comme cela se produit une fois l'an un marchand syrien. Outre des onguents, de la myrrhe et bien d'autres substances rares nécessaires aux expériences alchimiques, il lui vendit un carnet constitué de parchemins de plusieurs époques. J'ai vu le soir même mon maître danser de joie tout seul dans son laboratoire. Entre autres choses, j'ai entendu : «Il me faut ce papyrus !», «Il avait donc raison, le bougre !» Au matin, je suis entré dans le laboratoire pour l'aider à gagner son lit ; le pauvre s'était effondré d'épuisement sur sa table de travail. Mon regard est alors tombé sur ses notes griffonnées durant la nuit. Je ne sais guère lire le latin, mais j'ai pu comprendre qu'il était question dans cette affaire autant de malédiction que de trésor. Cela a fort excité ma curiosité, mais lorsque mon maître s'est réveillé j'ai eu la maladresse de me trahir par des questions trop précises. Du coup, le vieux sage... je veux dire mon père adoptif s'est enfermé dans son domaine comme un sorcier préparant des filtres et des sortilèges. Jusqu'au jour où...

François grimace de douleur. Il est en nage et près de s'évanouir.

— Jusqu'au jour où ? le presse le seigneur de Montbrisac, tel un enfant impatient de connaître la fin d'un conte.

— Père, je crois que nous allons laisser ce jeune homme reprendre son souffle, dit Isabeau. Nous reviendrons ce soir.

— Hum, acquiesce mollement le seigneur.

Isabeau échange un regard avec le Félin, comme pour solliciter son avis.

— Il serait sage de laisser notre blessé se reposer, renchérit celui-ci, mais il ajoute aussitôt : Je crains cependant que d'ici une heure sa fièvre ne soit montée et qu'il ne puisse plus parler avant plusieurs jours...

François approuve de la tête et reprend son récit d'une voix faible :

— Mon maître surgit de son laboratoire un matin en m'appelant à grands cris. Il me confia un message à l'intention de maître Pirus, un «message de première importance», précisa-t-il. Et il me prévint que le voyage n'irait pas sans risques, surtout si je m'attardais en quelque auberge malfamée. Il est vrai que j'ai un goût certain pour les endroits où l'on chante, danse et boit... Bref, sans plus en apprendre, j'ai quitté Paris...

— Oh ! Paris ! s'exclame Isabeau qui rêve depuis son enfance de connaître la capitale du royaume.

Son père lui adresse un sévère froncement de sourcils.

— Les cavaliers...

La voix de François faiblit brusquement. Il continue les yeux fermés :

— Les cavaliers m'ont tendu une embuscade près de... de Nevers. Ils m'ont poursuivi... sans relâche. Ensuite, je... je...

— Avez-vous une idée sur l'identité de ces hommes ? l'interroge le Félin.

Trop épuisé pour répondre, le jeune homme grimace de souffrance.

— Nous en savons assez, décrète le chevalier de Bréa. Sortons. Francine, veille sur ce jeune homme comme s'il s'agissait de ton enfant.

— Oh, oui ! Pour sûr que je le pouponnerai, le joli Moïse[1], répond la chambrière d'Isabeau.

_____

1. Moïse : dans la Bible, le prophète est « sauvé des eaux » alors qu'il n'est qu'un bébé.

3

Le départ pour Paris

Dans la grande salle du château, le seigneur de Montbrisac, très excité par cette affaire aux parfums d'Orient, tient conseil. Le Félin et Gilles examinent à leur tour l'étrange et fascinant papyrus que maître Pirus a sorti du fin fond de sa bibliothèque. La feuille, collée sur une plaque de cèdre, est couverte de curieux petits dessins : oiseaux, silhouettes humaines, plumes… et de signes évocateurs, telles ces vagues stylisées.

— Est-ce vraiment un langage ? demande Gilles qui ouvre de grands yeux émerveillés.

— Nous le croyons, répond le vieil homme. En vérité, nul ne sait ce que signifient ces symboles, du moins nul vivant, car j'ai ouï dire que certains philosophes grecs et des soufis des temps anciens comprirent comment déchiffrer ce code sacré que l'on trouve en abondance sur les monuments d'Égypte. J'ai acquis ce papyrus lors de mon périple d'étude avec Algarante. Si je me souviens bien, le marchand l'appelait le Papyrus du Soleil. Il était censé révéler un fabuleux secret; je n'ai jamais su lequel mais, dans ma naïveté de jeune alchimiste, j'ai cru faire la découverte du siècle et me suis saigné d'une lourde bourse pour l'acquérir. Algarante se moqua de ma crédulité et plusieurs jours durant il m'appela *maître Papyrus*, ce qui le faisait beaucoup rire et moi enrager. L'affaire se conclut par une vigoureuse empoignade en plein désert de Libye. Résultat: je lui fis un coquart qui disparut en quelques jours et je décidai par défi de garder ce sobriquet, raccourci d'une syllabe.

Le seigneur de Montbrisac et sa fille échangent un regard ébahi:

— Vous ne nous aviez jamais raconté cela, maître Pirus, souffle le premier.

— Vous ne m'avez jamais questionné sur mon nom, retourne le vieil homme amusé de l'effet produit par sa révélation. Et il est bien des choses encore que vous ignorez sur moi… ajoute-t-il malicieusement.

— Parlez, je vous en prie! le presse le seigneur.

— Une autre fois. Je pense que nous devons prendre cette affaire avec le plus grand sérieux. Et je suis inquiet pour mon ami Algarante.

— Je partirai dès demain pour Paris, annonce le Félin.

— J'allais vous en prier, dit maître Pirus, mais il s'agit plutôt de m'escorter dans ce long voyage.

— Allons, mon bon ami, à votre âge… fait le seigneur en levant les épaules.

— Quoi *à mon âge* ! s'écrie l'inventeur. Qu'est-ce qu'il a, mon âge ? Soixante-quinze printemps, ce n'est rien ! Pied de chat ! Œil d'aigle ! Oreille de fennec ! Je vous en remontrerai encore, monseigneur !

Rarement on aura vu le grand génie des sciences perdre ainsi son calme. Pour un peu, Hugues de Montbrisac en rentrerait la tête dans les épaules, mais il se contente de bougonner :

— Très bien, je vous laisse partir.

— Et moi aussi, n'est-ce pas mon père ? demande Isabeau. Vous savez bien que j'attends ce moment depuis… vingt ans au moins !

Gilles glousse ; la fille du seigneur vient de fêter ses vingt ans. Puis il lance :

— Pour moi, c'est acquis : un chevalier ne peut aller sans son écuyer.

— Ainsi tout le monde me quitte ! clame le seigneur en se levant tel un empereur de tragédie. Alors je viens aussi ! Et tant que nous y sommes, ma garnison suivra, conclut-il en balayant l'air de la main.

Les préparatifs de l'expédition sèment l'émoi deux jours durant dans le château de Montbrisac. Il est vrai que Paris est à cette époque une lointaine destination et, en elle-même, une terre de mystère et de danger. Aussi les voyageurs sont-ils particulièrement attentifs à ne rien oublier. Maître Pirus charge une petite charrette à deux roues, montée sur amortisseurs, d'une quantité incroyable de coffres contenant documents, ustensiles, ingrédients de recherche, inventions multiples... Si bien que le Félin doit intervenir :

— Nous ne partons tout de même pas pour l'Égypte !

— Aidez-moi donc à ficeler mon Athanor-de-poche, je vous prie. Et ce sera fini, promis.

Le chevalier l'aide à fixer sur la pile de bagages une caisse cloutée contenant l'alambic miniature de l'alchimiste.

— Un tel équipage risque de nous ralentir, tente-t-il de lui faire remarquer.

— Comment ? Vous n'avez donc jamais assisté à une démonstration de ma Chariote-de-grand-chemin ? Ces lames en forme de bouche que vous voyez derrière les roues amortissent les plus profonds accidents de terrain...

Le Félin soupire, se sachant d'avance vaincu par les arguments du vieil homme qui poursuit ses savantes explications. De son côté, Gilles est tout excité et Francine le met en garde contre les tentations «périlleuses» (c'est-à-dire essentiellement féminines) qui l'attendent à Paris. De son côté, Isabeau est pour une fois prête avant tout le monde. Elle discute dans la cour du château avec son père qui paraît bien triste :

— Grrr ! J'enrage contre la vieillesse ! Devoir renoncer une fois de plus à l'aventure me fait prendre d'un coup trois ans.

— Allons, père, vous savez bien que votre vaillance n'est point en cause. C'est votre fief qui ne peut se passer de vous.

Le vieux guerrier soupire et demande :

— Êtes-vous assurés de trouver sans vous perdre la maison d'Algarante ?

— Grâce au plan que François nous a dessiné, nous allons même pouvoir nous promener dans Paris.

— Prudence, ma fille, on dit que cette ville compte autant de coupe-bourses que de poux sur la tête d'un gueux.

— Que puis-je craindre sous la protection du Félin ? murmure-t-elle en coulant un regard langoureux vers le chevalier de Bréa.

Il vient de monter en selle. Pour rassurer son seigneur et lui faire honneur, il a revêtu son armure anthracite et coiffé son heaume en forme de tête de panthère. Quelques minutes plus tard, il donne le signal du départ. À cet instant, une voix lance depuis une fenêtre du logis seigneurial :

— Avant trois jours je serai sur pied et je vous rejoindrai à Paris.

Isabeau se retourne pour saluer François de Molène, mais celui-ci, pris d'un étourdissement, s'effondre dans les bras de Francine.

Après une journée de marche sans le moindre incident et sous un temps clément, malgré l'automne naissant, l'expédition fait halte pour la nuit. Le bivouac est installé dans une clairière longée par un ruisselet aux eaux cristallines. Maître Pirus affiche une mine radieuse. Sa Chariote-de-grand-chemin, tirée sans effort par sa monture, a réussi à se faire oublier. Le Félin l'en félicitant, il répond :

— Que vous disais-je ? Et vous verrez que c'est de bon augure, car je sens que ce voyage sera comme une promenade.

— Cela m'étonnerait, le contredit le chevalier en passant sur la lame de son épée une pierre à affûter.

Il s'est assis sur un énorme tronc de chêne abattu. Isabeau et Gilles se retournent pour le dévisager.

— Que voulez-vous dire ? demande maître Pirus.

Le chevalier lève le nez de son ouvrage pour s'adresser à son écuyer :

— Dis-moi, Gilles, n'as-tu rien remarqué de particulier durant cette journée ?

Interloqué et inquiet, Gilles hésite à répondre.

— Moi, j'ai entendu chanter le coucou, intervient Isabeau, et j'ai aussitôt formulé un vœu.

— Ah si! s'exclame le garçon. J'ai aperçu au loin un beau cerf et, me semble-t-il, deux biches agiles qui l'accompagnaient.

Un sourire se forme sur les lèvres du chevalier.

— En effet, dit-il, un beau cerf portant cape et heaume sombre et deux biches armées d'une lance de cinq coudées[1]. Bravo, Gilles, tu fais des progrès.

L'écuyer rougit de confusion.

— Craignez-vous une attaque cette nuit? s'inquiète Isabeau.

— Cette nuit ou la prochaine… ou la suivante. Il nous faudra à chaque instant nous tenir sur nos gardes.

— Alors laissez-moi réserver à ces cervidés, s'il leur prend l'envie de venir nous renifler, un accueil façon Pirus, déclare le vieux savant en se dirigeant vers son attelage.

Jusqu'au coucher du soleil, il installera sur le pourtour de la clairière son dispositif d'alerte « anticervidés ».

En fin de nuit, le Félin ouvre brusquement les yeux. Allongé le long du tronc abattu, l'épée à portée de main, il s'est légèrement assoupi et se le reproche en

---

1. Cinq coudées : environ deux mètres cinquante.

pensée. Pourtant, c'est actuellement le tour de veille de son écuyer. Mais celui-ci, adossé à un arbre, le menton sur la poitrine, paraît aussi vigilant qu'une marmotte en hiver. Un craquement de brindille se fait à nouveau entendre. Le chevalier avance lentement la main vers sa lame. Près du feu, Isabeau s'éveille à son tour. Elle tourne la tête vers le chevalier qui lui fait signe de garder le silence. La forêt bruit du piétinement prudent de plusieurs bêtes... ou êtres humains. Le chevalier se redresse avec précaution pour glisser un regard par-dessus le tronc. Malgré la lune, il ne parvient pas à détailler les silhouettes qui se tiennent, pareilles à des statues, à une vingtaine de coudées[1] dans la forêt. Mais elles sont trois, à n'en point douter. Voici tout à coup qu'elles se mettent à courir ! Le chevalier se lève d'un bond et l'épée en main, il crie :

— Alarme ! Nous sommes attaqués !

Gilles et maître Pirus s'éveillent en sursaut. Des explosions accompagnées d'une gerbe d'étincelles se produisent en bordure de clairière. Saisis d'épouvante, les assaillants entrent dans la clairière, bondissent par-dessus le tronc abattu et disparaissent en quelques foulées. Frappé de stupeur, Gilles a vu passer à droite et à gauche deux biches et un magnifique cerf qui ont laissé dans leur sillage une écœurante

---

1. Une vingtaine de coudées : environ dix mètres.

odeur de poisson. Isabeau qui tient à la main son Bras-de-Shiva, un redoutable fouet à triple lanière, éclate de rire. Maître Pirus soupire, tandis qu'Yvain rengaine son épée.

Retrouvant ses esprits, Gilles s'approche du feu mourant en chantonnant dans sa barbe :

— Mm, mm-mm, mm-mm… Terrifiante, cette attaque de chevaliers noirs… Avez-vous remarqué le heaume du plus grand, hérissé de pointes recourbées ? Brrr !

Le chevalier le dévisage d'un œil sévère. Il ouvre la bouche pour répliquer, mais Isabeau lui ravit la parole :

— Allons, Gilles, ne te moque point. Il aurait pu s'agir d'une véritable attaque. Heureusement, nous pouvions compter sur ta vigilance…

Elle se met à chantonner à son tour ; le Félin sourit. Gilles préfère garder le silence et, pour faire diversion, il propose :

— Je vais chercher du bois pour ranimer le feu.

— Inutile, Gilles, l'aube ne va plus tarder… objecte Yvain.

N'écoutant que son envie de gambader, le garçon s'éloigne en sautant comme un chevreuil.

— Pas par là ! s'écrie maître Pirus.

Trop tard. Un claquement retentit, suivi d'une gerbe d'étincelles blanches qui illumine brièvement la clairière. Gilles revient, bras ballants, vert de honte, dégoulinant d'une substance gluante dégageant une insoutenable odeur de poisson.

— C'était donc cela votre dispositif anti-cervidés, fait Isabeau.

— Hum, acquiesce le savant. J'y avais ajouté quelques Puantes-de-l'épouvante...

4

Arrivée mouvementée

L'aube est fraîche et brumeuse. Une désagréable mais supportable odeur de poisson imprègne l'atmosphère. Les voyageurs ont hâte de repartir. Après avoir vérifié le harnais de la Chariote-de-grand-chemin, le chevalier de Bréa aide maître Pirus à monter en selle. Gilles, qui a revêtu sa tenue de rechange vert bronze, est encore agenouillé au bord du ruisselet, frottant avec énergie son autre cotte parfumée aux Puantes-de-l'épouvante. Isabeau enfourche avec vivacité sa monture et se fige, yeux écarquillés.

— Yvain… lâche-t-elle dans un murmure.

— Oui?

La jeune femme fixe trois cavaliers qui, au fond de la clairière, barrent le chemin. Ils portent chacun un heaume cylindrique percé en croix, une cotte de mailles et une cape noire marquée de la croix rouge des Templiers. Deux tiennent dressée à la verticale une lance à pointe d'acier. Le chevalier de Bréa, avec calme, comme s'il n'avait pas remarqué la présence des trois guerriers, coiffe son heaume et monte à cheval. Une confrontation silencieuse s'ensuit.

— Me voici! lance Gilles en se retournant d'un bond. Oh!

— Madame, messires, les pieux sergents du Temple[1] vous saluent, dit alors le cavalier sans lance avec un fort accent guttural.

— Nous vous saluons de même, répond le Félin. Que nous voulez-vous?

— L'ordre du Temple fut créé pour protéger les pèlerins, mais aussi pour défendre l'Occident chrétien. Vous détenez un objet frappé de malédiction qui doit être détruit en prononçant certaines prières. Remettez-le-nous afin que nous puissions procéder au rituel de purification.

— De quel objet s'agit-il? s'enquiert Isabeau, feignant l'ignorance.

— On le nomme le Papyrus du Soleil. Il s'agit en réalité d'une production satanique. L'alchimiste Pirus détient cette chose. Nous ne tenons nullement

---

1. L'ordre des Templiers comptait des frères chevaliers (en manteaux blancs), des chevaliers mariés (en manteaux noirs) et des frères sergents.

à utiliser la force, mais nous le ferons si vous vous opposez à la volonté de Dieu.

— Que savez-vous sur ce papyrus ? demande le Félin.

— Cela ne peut être dévoilé tant est grand le péril de tentation. Allez-vous nous le remettre de gré ?

— Et pourquoi pas ! s'exclame maître Pirus d'une voix enjouée. Si ces messires veulent bien approcher…

Le vieil homme met pied à terre, puis se tourne vers la Chariote-de-grand-chemin. Tandis qu'il fouille dans ses bagages, les Templiers approchent, méfiants. Isabeau et Yvain ne les quittent pas des yeux. Ils savent que le signal de l'affrontement sera donné par maître Pirus. Gilles rejoint sa monture en se donnant un air détendu. Les cavaliers noirs se séparent, l'un se positionne à l'écart, tandis que les deux autres avancent vers maître Pirus. Celui-ci tire un coffret de ses paquetages, puis marche résolument à leur rencontre.

— Voilà beaucoup d'émoi pour un petit bout de parchemin de rien du tout, soupire-t-il. Voyez comme il a l'air inoffensif…

Il ouvre le coffret, y plonge la main. Le Templier resté à l'écart adresse dans une langue à consonance orientale un avertissement à ses acolytes.

— Gare, sorcier ! S'il s'agit d'une fourberie, prévient comme en écho le Templier sans lance, vous le paierez de votre vie.

— Moi, sorcier ? s'offusque maître Pirus.

Il sort du coffret un parchemin de lin roulé sur un cylindre de cuivre, le déplie pour montrer qu'il est couvert de hiéroglyphes, puis le replace dans son écrin. Les cavaliers noirs paraissent déconcertés que l'affaire se dénoue si aisément. Le Templier sans lance pousse sa monture jusqu'au vieil homme qui donne une brève caresse sur les naseaux de l'animal :

— Savez-vous combien m'a coûté cet antique document ? demande-t-il.

— Cela ne nous importe aucunement. Donnez ! aboie le chevalier en tendant sa main gantée.

Maître Pirus le dépasse pour s'approcher de l'autre Templier noir. Il donne une tape affectueuse à la monture, lui offre sa paume à renifler, puis répond à sa propre question :

— Une vraie fortune ! Aussi vous demanderai-je un dédommagement minimum.

— Entendu ! Voici une bourse de cent écus et n'en parlons plus ! consent le Templier avec agacement.

Le vieux savant semble réfléchir, puis il se ravise :

— Non, vraiment, je tiens plus à ce souvenir qu'aux écus du Temple. Désolé.

Piqué au vif, le cavalier tire l'épée tandis que les deux autres abaissent leur lance pour la caler sous leur bras droit. Le Félin dégaine à son tour, Isabeau fait claquer son Bras-de-Shiva et Gilles brandit sa dague Lance-poudre-aux-yeux.

— Désolé de vous avoir déçus, mes seigneurs, déclare Yvain. Nous devons maintenant partir... ou nous débarrasser de vous.

Le chef des Templiers lance un ordre dans sa langue puis, épée brandie, pique sur maître Pirus. Mais sa monture bronche, part de côté, titube comme prise d'étourdissement. Le destrier[1] de l'autre frère sergent manifeste les mêmes symptômes. Le Félin attaque le troisième cavalier dont la monture est en parfait état de combattre. Les deux guerriers chevauchent l'un vers l'autre comme sur la lice d'un tournoi. À l'instant d'être embroché, le Félin dévie d'un coup d'épée la lance de son adversaire, puis frappe celui-ci du poing gauche en plein heaume. Le Templier chancelle, mais ne choit pas. Dans le même temps, les deux autres cavaliers noirs ont été jetés à terre par leur monture devenue folle. Ils se relèvent en rage. Le fouet d'Isabeau s'enroule en claquant autour du cou de l'un d'eux ; un cri de douleur résonne, étouffé par le casque. Le second se précipite vers maître Pirus ; Gilles l'intercepte avec son cheval et lui saute dessus. Ils roulent à terre, mais il ne faut pas longtemps au Templier pour prendre le dessus et plaquer le tranchant de sa lame sur la gorge de l'adolescent qui émet un grognement de dépit.

---

1. Destrier : au Moyen Âge, cheval de bataille, par opposition au «palefroi», cheval réservé aux cérémonies.

— Cessez toute résistance, s'écrie le cavalier noir, ou je saigne ce béjaune !

Mais l'échauffourée est déjà terminée. Le Félin achève de neutraliser son adversaire, tandis qu'Isabeau tient le sien en laisse. Gilles grimace sous la pression du bras qui lui enserre le corps, mais il trouve la ressource d'articuler une excuse à son chevalier et au vieil inventeur.

— Ce n'est rien, mon garçon, le rassure maître Pirus, ce bout de papier ne vaut pas une vie, surtout pas celle d'un *béjaune* aussi brave. Tenez, messire Templier, le voici votre maudit manuscrit. Faites-en l'usage qu'il vous plaira, pourvu que vous nous oubliiez.

Ayant obtenu ce qu'ils souhaitaient, les Templiers récupèrent leurs destriers qui peu à peu recouvrent la maîtrise de leurs jambes.

— Que leur avez-vous fait, à ces pauvres bêtes ? s'enquiert Isabeau.

— J'avais un peu prévu ce genre d'attaque, répond le malicieux vieillard, aussi avais-je préparé un petit mélange volatil de Poudre-à-estourbir, à base de suc de pavot. Quelques poussières inhalées et ces puissants étalons ont vu le monde danser comme à la Saint-Guy. Voulez-vous essayer ?

— Sans façon, maître.

— Moi, je veux bien, fait Gilles.

— Souhaites-tu déjà gagner le paradis ? Car ce genre

de poison t'y enverra sûrement, aussi sûrement qu'il te fera ensuite chuter en enfer.

Le garçon change d'avis.

— Nous avons perdu le papyrus, cela vaut-il encore le coup de gagner Paris? interroge Yvain, tout en regardant les Templiers qui ne peuvent encore monter en selle.

Isabeau réagit vivement:

— Mais bien sûr, voyons! Et puis nous n'en sommes plus très loin.

— Il est vrai que nous avons déjà accompli un dixième du parcours, reconnaît le chevalier en souriant.

— Dame Isabeau a raison, intervient maître Pirus, quel dommage de renoncer à Paris après un si piètre incident! Nous voyez-vous revenir à Montbrisac en annonçant qu'à la première attaque nous nous sommes fait voler le Papyrus du Soleil?

Yvain et Isabeau échangent un regard complice et une même pensée: «Avec maître Pirus, *papyrus* rime avec *ruse…*»

Tous reprennent donc la route de Paris, curieusement bien vite consolés de la perte du manuscrit égyptien…

5

Perdus dans la capitale

Après quelques jours d'un voyage rapide et agréable, sans le moindre incident, les Auvergnats arrivent en vue de Paris. Ils s'arrêtent en bordure de chemin pour admirer au loin ce qu'ils pensent être la plus grande ville du monde, «après Constantinople, peut-être», estime maître Pirus. Le paysage leur est presque familier : des vignes, des coteaux verdoyants, des bois à l'horizon, et bien sûr la Seine. Isabeau désigne de l'index un petit affluent qui arrive par le sud-est :

— Voici la Bièvre…

Elle baisse les yeux sur le plan tracé par François de Molène :

— Nous traverserons le faubourg Saint-Marcel, reprend-elle, avant d'entrer dans Paris par la porte du même nom. Ensuite, ce sera très simple ; nous devrions arriver chez maître Algarante bien avant le crépuscule.

Le cœur serré d'émotion, elle contemple à nouveau le spectacle. Les murailles de Philippe Auguste[1] sont impressionnantes, et que dire de la forteresse du Louvre, là-bas, à l'ouest? Et puis bien sûr, plus fantastique que tout, Notre-Dame qui domine de ses deux puissantes flèches tronquées un incroyable enchevêtrement de toits et d'édifices monumentaux. Au cœur de la cité, maître Pirus croit reconnaître le puissant donjon du Temple.

— On comprend pourquoi Philippe le Bel[2] redoute plus que tout l'ordre des Templiers, commente-t-il.

— Pourquoi? demande Gilles.

— Les Templiers sont riches, trop riches, donc trop puissants. Autant dire qu'ils sont un royaume dans le royaume et l'on raconte que cela pourrait mal finir…

— Une guerre civile? s'alarme le garçon.

— Qui sait…?

Isabeau observe le chevalier de Bréa qui scrute la ville de son impénétrable regard. Elle le connaît cependant assez pour savoir qu'il est inquiet, mais de quoi au juste?

---

1. Philippe II dit «Auguste» (1165-1223). Il fit édifier le nouveau mur d'enceinte de Paris.
2. Philippe IV dit «le Bel» (1268-1314).

— Vous semblez préoccupé, Yvain, auriez-vous peur que nous nous perdions dans cette fourmilière?

— Ce ne serait qu'une péripétie, répond le chevalier en s'efforçant de reprendre un air détendu. Je songeais à nos trois Templiers. Je redoute leur réaction s'ils s'aperçoivent que maître Pirus les a grugés.

Un voile d'inquiétude assombrit le visage d'Isabeau. Elle pensait tellement, comme Gilles d'ailleurs, à la capitale royale qu'elle en avait oublié les cavaliers noirs. L'inventeur est quant à lui parfaitement serein. Il glousse dans sa barbe et lâche:

— Pfff! ces ignorants ne distingueraient pas une poule d'une autruche. Cela dit, le papyrus que je leur ai donné est une authentique merveille... à défaut d'être une merveille authentique.

Il rit à nouveau puis conclut:

— Croyez-moi, nous avons plus à craindre des coupe-bourses que des Templiers.

Ils franchissent sans encombre la porte Saint-Marcel, mais dans une pagaille indescriptible. Les charrois pressent les piétons contre les murs des maisons. Les camelots, portant d'énormes ballots ou tirant des charrettes, avancent en criant: «Place! Place!» ou «Gare! Gare, devant!». Et combien de jurons n'entend-on pas, dont un en particulier qui laisse perplexes les voyageurs: «Provincial!» Leur entrée dans la capitale s'apparente à celle d'explorateurs pénétrant dans la mythique Babylone. Ils marchent sans échanger un mot, tournant des regards éberlués dans toutes les directions. Pour le Félin, c'est un peu différent, son instinct de protection a mis ses sens en alerte. Il observe chaque passant, chaque détail d'architecture ; il essaie de se familiariser au plus vite avec ces rues pour en appréhender les éventuels dangers. Isabeau n'est pas aussi soucieuse et repère déjà les échoppes les plus aguichantes :

— Oh ! Avez-vous vu ces étoffes ? s'exclame-t-elle. Et là, ces bijoux !

Elle est au paradis.

De son côté, Gilles ne sait où porter son attention et cette foule bigarrée et bruyante le met en joie. À un croisement de rues, il s'arrête pour admirer des bateleurs qui réalisent des tours de force et des prouesses de jongleries. Il aperçoit le fourneau en plein air d'un marchand d'oublies[1] et en achète de bien dorées pour ses compagnons et lui-même. Il sourit en assistant à une empoignade entre un marchand et un mauvais payeur… Tout à coup, le Félin saisit par un bras un garçonnet crasseux qui zigzague entre les passants.

— Eh là, petit ! Tu es bien pressé, lui lance-t-il.

---

1. Oublies : sortes de petites gaufres minces, roulées en cornet.

Le garçon dévisage le chevalier les yeux exorbités de stupeur. Il bredouille en crachotant d'incompréhensibles paroles.

— Eh bien, Yvain, que vous prend-il à terroriser cet innocent petit drôle ? demande Isabeau, le sourcil réprobateur.

— Petit, c'est exact. Drôle, je n'en doute point, mais innocent…

Le chevalier déplie les doigts de la main droite du gamin qui serrent une bourse de daim. Il s'en empare puis, la tendant à un gros bourgeois assistant goguenard à l'incident, il l'apostrophe :

— Tenez, messire, votre bourse. L'ayant vu choir, ce petit bout d'homme s'apprêtait à vous la rendre. N'est-ce pas, mon garçon ?

— Sapristi ! s'écrie le bourgeois en portant les mains à son ventre rebondi.

Le gosse approuve énergiquement de la tête. À peine lâché, il disparaît dans la foule. Isabeau aimerait se faire petite comme une souris. Pour échapper au regard du Félin, elle aide maître Pirus à se frayer un passage dans la foule. Sa Chariote-de-grand-chemin attire toutes les curiosités et ce qu'elle transporte toutes les convoitises. Gilles interpelle à son tour un jeune garçon qui s'apprêtait à glisser la main dans un des bagages du savant.

— Il serait temps d'arriver à bon port, dit-il, car avant peu c'est l'émeute assurée !

— Nous y sommes presque, assure Isabeau. Il faut prendre la première à droite ; la maison d'Algarante sera au bout de la rue des Chaussetiers…

Malheureusement, au bout de ladite rue ils tombent… sur la Seine ! Le spectacle est époustouflant, mais ce n'est pas celui qu'ils attendaient. Des dizaines de barques et de gabares[1] circulent sur le fleuve. À l'est, la cathédrale se drape de rouge dans le soleil couchant, tandis qu'à l'ouest la forteresse du Louvre, massive et sombre, écrase de sa puissance les frêles maisons à colombages qui l'environnent.

— C'est un peu fort ! grommelle Isabeau, les yeux rivés sur son plan. Nous avons dû rater une rue. Il faut retourner…

— Non, pitié ! fait maître Pirus qui se voit mal replonger dans l'enfer crotté.

— Laissez-nous conduire votre équipage, propose le chevalier. Vous tiendrez ma monture.

À la nuit presque tombée, ils n'ont toujours pas trouvé la rue des Chaussetiers. Et ils ne doivent pas compter sur les passants pour les aider ; une fois on les envoie vers le sud, une autre vers le nord et une ménagère pressée vient à l'instant de leur jurer qu'il fallait retourner vers la Seine.

---

1. Gabares : grosses barques à fond plat utilisées pour le transport des marchandises.

— Ce n'est pas grave, dit le chevalier de Bréa. Trouvons une auberge pour souper et dormir. Nous aurons tout le loisir demain de chercher cette... (il prend son souffle) *maudite rue* ! grince-t-il les mâchoires serrées.

Leur seule consolation est qu'à la fin du jour, les rues se vident et qu'il devient aisé d'y circuler. Ils s'engagent dans une ruelle au fond de laquelle Gilles, parti en reconnaissance, a repéré une auberge :

— Vous voyez ce coq rouge de toute beauté ? s'exclame-t-il en désignant l'enseigne en fer forgé suspendue au-dessus de l'entrée basse d'une maison. Je parierais que l'établissement est tenu par des Auvergnats.

Le sourire revient sur les visages, quand maître Pirus pousse un cri :

— Vas-tu me lâcher, malandrin ?

Yvain se retourne. Il a déjà dégainé son épée pour faire face à deux ombres qui s'en prennent au vieil homme.

— Votre bourse, messeigneurs, ou nous vous coupons le cou ! menace l'une d'elles.

Une dizaine d'autres silhouettes, parmi lesquelles on devine des enfants, cernent les provinciaux. Isabeau tire de sa ceinture son Bras-de-Shiva, dont elle sait admirablement se servir. Sa dague Lance-poudre-aux-yeux en main, Gilles se prépare lui aussi à livrer bataille. Il en serait presque heureux si l'un des coupe-jarrets ne tenait un poignard sous la gorge de maître Pirus.

— Allons, allons, mes amis, tempère ce dernier, nous n'allons pas faire couler le sang pour si peu. Vous voulez notre bourse ? Eh bien, soit ! Laissez-moi vous offrir la mienne.

Un sourire satisfait se forme sur le visage de l'individu qui le tient en respect. Il relâche son étreinte pour s'emparer du petit sac de cuir que le vieil homme lui agite sous le nez.

— Mais ouvrez-la donc tout de suite, messire, je vous garantis la Surprise-du-jour.

Gilles ne peut cacher un sourire, car il sait en quoi consiste la *surprise* en question. Peu avant leur départ, le savant lui en a fait tester l'efficacité en lui expliquant qu'il l'avait conçue pour faire regretter aux voleurs d'avoir croisé son chemin.

— Tiens-toi prêt, Gilles, murmure le Félin.

Le garçon redevient aussitôt sérieux. Son maître ayant rengainé son épée, cela signifie qu'ils vont se battre à mains nues, sans doute en raison de la présence d'enfants parmi leurs agresseurs. Le voleur dénoue les cordons de la bourse de maître Pirus. Un claquement étouffé se produit. L'homme se met l'instant suivant à suffoquer, puis à éternuer sans discontinuer. Gilles sait qu'il en a pour trois heures, car lui-même, avec une dose de Surprise vingt fois moindre, n'a pu reprendre une respiration normale avant dix minutes. Le Félin engage le combat. Dans la pénombre, il est plus à l'aise que n'importe quel détrousseur. Deux se retrouvent bientôt étendus sur la terre gluante de la venelle. Un troisième, plus coriace, manque d'un cheveu de lui planter un couteau dans le ventre. En retour, il reçoit un poing ganté de fer en pleine figure. Chaque fois que le fouet d'Isabeau claque, un cri de douleur fuse. De son côté, Gilles est mis en difficulté par trois gamins dont un, particulièrement «accrocheur», qui lui mène rude vie agrippé à son dos. Les cris, les grognements et les éternuements ont fini par ameuter le voisinage. Des visages apparaissent aux fenêtres des maisons à encorbellements. On entend crier: «Allez vous battre ailleurs!», «Du silence, ou je vous baptise de pisse!», «J'appelle la garde!» Comprenant que sa bande est tombée sur un os, le chef des tire-laine siffle la débandade. En un instant, les ombres s'éclipsent tels des fantômes, emportant ceux que le Félin a estourbis.

Gilles, déçu que la bataille s'achève déjà, poursuit l'un des derniers coupe-bourses à déguerpir. Il parvient à le coincer dans l'encoignure d'une porte.

— Je te tiens, coquin, dit-il en lui plaquant les mains contre l'huis[1]. Voyons la tête que tu as…

Avec sa main libre, il tire d'une poche de son surcot un Bâton-à-feu, lumineuse invention de maître

---

1. L'huis: la porte.

Pirus. Il l'allume sur la pierre rugueuse du montant de la porte. Pour échapper à l'éblouissement, le malandrin détourne la tête.

— Fichtre Dieu! s'exclame Gilles.

Déconcerté, il lâche prise et recule d'un pas. Il considère, à la lumière orangée du bâton, un visage clair et régulier qu'encadre une longue chevelure brune. La jeune fille rouvre les yeux pour le fixer avec effronterie. Ses grands yeux frangés de longs cils nous laissent Gilles sans voix. Elle paraît s'en amuser, puis lance :

— Eh bien, remets-toi! Je ne suis point sainte Catherine.

— Heu… non, je…

L'écuyer se racle la gorge.

— Comment t'appelles-tu? demande-t-il, ne sachant comment reprendre contenance.

— Je ne m'appelle jamais. Et toi, comment t'appelle-t-on?

— Par mon nom. Donne-moi le tien et peut-être consentirai-je à épargner ta vie.

Elle éclate de rire. Son sourire est à l'image de son regard… Gilles sent son cœur s'affoler.

— Je suis Gilles d'Estrée, écuyer du plus grand et du plus loyal chevalier de la chrétienté. Celui qu'on surnomme en terre d'Auvergne «le Félin».

— Oh! Quel joli nom! *Le Félin*, répète la jeune fille. Moi je suis Princesse.

— Ah…?

— Gilles ? Tout va bien ? s'enquiert Yvain à quelques pas de là.

— Oui, maître, j'occis un des malandrins et j'arrive !

La jeune fille feint l'inquiétude en fronçant les sourcils. Gilles se donne un air sévère pour demander :

— Dis-moi, Princesse, saurais-tu nous aider à trouver la rue des Chaussetiers ?

— Cela dépend... Combien me donnes-tu ?

— Au choix, une fessée ou... (il avale sa salive) un baiser, lâche-t-il d'une voix presque inaudible.

Princesse éclate à nouveau de rire, puis le supplie mains jointes :

— Pitié, seigneur, pas ça ! Torturez-moi plutôt !

— Que se passe-t-il, Gilles ? s'inquiète à son tour Isabeau.

— Hein ? Oh rien, damoiselle, je... j'ai trouvé un guide.

La jeune femme, découvrant le visage du guide en question, se détend :

— Un conseil, mon jeune ami, ne le quitte point d'une coudée, car il pourrait s'envoler comme un joli rossignol, dit-elle sur un ton plein de sous-entendus.

6

La main sanglante

Grâce à Princesse, les Auvergnats ne seront pas obligés de coucher dans une taverne miteuse. Tout en les guidant, le pas léger, elle explique :

— Vous ne pouviez choisir pire coupe-gorge. Les voyageurs de votre sorte entrent au Coq Rouge, mais ne ressortent pas... ou alors en petits morceaux.

— En somme, nous avons eu de la chance de vous rencontrer, fait le chevalier de Bréa.

— On peut le dire... Voilà, c'est ici !

— Quoi ? Nous n'étions qu'à deux pas de notre but ! s'exclame Gilles.

— Oui. Et le plus drôle, joli damoiseau, c'est que je t'ai vu tout à l'heure venir flairer jusqu'ici et que je t'ai entendu grommeler que cette ville était une vraie « termitière de l'enfer ».

Gilles éclate de rire :

— Et je le pense toujours ! Mais j'ignorais jusqu'à cette nuit que les anges pouvaient fréquenter l'enfer...

Isabeau accélère la conclusion :

— Merci, Princesse. Nous te rendons à ta rue. Mais gare, la prochaine fois, toi et tes amis pourriez connaître un sort moins heureux.

— Si c'est notre destinée... Bonne nuit ! Et ne sortez plus après le coucher du soleil.

Elle disparaît dans l'obscurité. Gilles ouvre la bouche pour la rappeler, lui demander où elle habite... Le Félin lui pose une main sur l'épaule et déclare :

— Les oiseaux de nuit sont faits pour voler la nuit, tandis que les damoiseaux rêvent dans leur lit. Allons-y.

Maître Pirus, dévoré d'impatience, n'a pas assisté à ces quelques échanges. Il s'est déjà engagé dans la rue avec son équipage, cherchant la demeure de son ami. Le voici qui frappe à la porte d'une grosse maison à trois étages. Un domestique ouvre le judas et demande sur un ton déplaisant qui vient, en pareille heure, déranger le « grand alchimiste Algarante ». Le nom *Pirus* produit l'effet d'un « Sésame, ouvre-toi ». Une serrure claque et l'huis s'ouvre vivement.

— Entrez ! Entrez, mes bons sires... Oh, madame ! susurre le serviteur en se courbant presque jusqu'au sol. Je vais chercher mon maître.

— Et nos chevaux, qu'en faisons-nous ? s'inquiète Yvain.

— Je m'en occuperai, monseigneur, nous disposons d'une écurie à trois maisons d'ici.

Les retrouvailles entre les deux vieux amis donnent lieu à un spectacle des plus réjouissants. Un homme, coiffé d'une toque de laine brune et portant un tablier de cuir par-dessus une ample robe violette, accourt du fond de la maison. À la vue de son confrère, dont la barbe blanche est pareillement taillée en pointe, les profondes rides de son visage s'étirent dans un sourire démesuré.

— Par les foudres de Zeus, te voici, vieille fripouille ! s'écrie Algarante.

— Par les cavernes de Platon, je te reconnais bien, vieux crapaud !

Ils se jettent dans les bras l'un de l'autre, se gratifiant des noms les plus cocasses : «barbon à cul blanc», «momie de Saqqarah» ou encore «monument historique».

Après une rapide installation, un repas est offert aux provinciaux servi par un domestique zélé à l'excès et obséquieux à souhait… et «curieux comme une vieille pie, sauf des choses de la science», précise son maître avec agacement. Il ajoute qu'il l'a surnommé Garrapie, «à prendre au pied de la lettre !». Gilles observe le personnage avec méfiance…

— Vite, donnez-moi des nouvelles de mon François, demande ensuite l'alchimiste. Pourquoi n'est-il point avec vous ?

— Nous l'avons laissé aux bons soins d'une infirmière attentive et… commence Isabeau.

— Serait-il malade ? l'interrompt Algarante.

— Disons qu'il a fait une mauvaise rencontre, explique le Félin. Trois sergents Templiers semblaient en vouloir au message qu'il portait.

— Mille diables ! Ils l'auront donc poursuivi et rattrapé… Mais comment ont-ils su ? Continuez, chevalier.

Yvain rapporte en quelques mots leur propre rencontre avec les chevaliers noirs et la manière astucieuse par laquelle maître Pirus les a grugés.

— Hé, hé ! Je te reconnais bien là, mon vieux fripon, rit l'alchimiste. Mais crois-tu vraiment qu'ils se soient laissé abuser ?

— Mais oui ! fait l'inventeur en balayant l'air de la main. Bon, venons-en aux vieux souvenirs ; tu voulais que je t'apporte le Papyrus du Soleil… le voici ! s'exclame-t-il en tirant de son sac de voyage la tablette de cèdre sur laquelle est fixé l'antique document.

Alors les yeux d'Algarante s'agrandissent. Il paraît comme suffoqué de bonheur. Il s'empare du chandelier posé au centre de la table pour éclairer le papyrus, tel un diamantaire à qui l'on apporterait la plus belle pierre du monde.

— Ah, mon ami, mon frère, mon merveilleux Philogène ! Que c'est beau !

— Les dessins sont assez jolis, j'en conviens, marmonne le vieil inventeur, mais à part cela, je ne vois pas très bien…

— Comment cela, tu ne vois pas ? Tu sais pourtant que…

L'alchimiste s'interrompt, tournant un regard méfiant vers Isabeau et Yvain.

— Je sais pourtant *quoi* ? le presse son ami.

— Que ce bout de papier pèse plus que tout le trésor royal ! répond Algarante en baissant la voix.

Un vacarme métallique fait sursauter la tablée.

— Oh pardon, maître, j'ai… les pommes.

Le serviteur vient de laisser échapper sur le dallage la jatte de fruits qu'il apportait pour le dessert. Algarante hausse les épaules et reprend :

— Dans le message que j'avais confié à mon fils adoptif, je t'expliquais que j'avais acheté à mon marchand syrien un cahier rassemblant diverses études sur le langage des anciens Égyptiens. Et figure-toi qu'il est question dans l'un d'eux du Papyrus du Soleil. Et… (Le serviteur, tremblant de honte, pose maladroitement la jatte sur la table.) Viens, Philogène, je t'expliquerai la suite dans mon laboratoire…

Algarante entraîne son ami qui n'a que le temps d'adresser un petit bonsoir de la main à ses compagnons.

— Bien, soupire le Félin en s'étirant, voilà une affaire qui se conclut agréablement. Nous irons dormir sans inquiétude.

— Et sans tarder, enchaîne Isabeau, car demain sera pour vous une rude journée, messire chevalier.

— Ah? Et pourquoi donc?

— Comment! Auriez-vous déjà oublié que j'ai décidé de ne point quitter Paris avant d'avoir visité mille et une échoppes?

Le Félin ferme les yeux. Il n'avait pas oublié; il croyait qu'il s'agissait d'une taquinerie.

Le lendemain, levée avec l'aube, Isabeau de Montbrisac est dans une forme éblouissante. Buvant un bol de lait en compagnie de Gilles également heureux de partir à la conquête de Paris, elle s'étonne de l'absence du chevalier.

— Il prépare sa tenue de ville pour affronter la foule, explique le garçon.

— Tiens, tiens, mon chevalier protecteur se fait coquet, murmure la jeune femme.

— Non point, damoiselle. C'est qu'il redoute tant les coupeurs de bourses et autres experts en mains baladeuses qu'il a apprêté ses habits en conséquence. Je l'ai quitté alors qu'il s'entraînait à tirer les Bracelets d'Amour de maître Pirus.

Isabeau sourit. Tout en se passant une langue espiègle sur les lèvres, elle chuchote pour elle-même:

— Les miens sont invisibles, mais ils finiront bien par l'attacher à moi...

— Et moi aussi j'ai des Bracelets d'Amour! annonce joyeusement l'écuyer en exhibant une paire de gros anneaux reliés par une chaîne. Mais je les réserve aux oiseaux de nuit... ajoute-t-il rêveur, songeant à la jolie Princesse.

Sur les conseils du serviteur d'Algarante, les provinciaux commencent leur visite de la capitale par la Grande Rue menant vers le nord à la Seine et au Petit Pont. Au cœur d'une foule plus dense que jamais, Isabeau s'arrête presque à chaque pas...

— Oh! Yvain, voyez ce brocart! s'exclame-t-elle en se jetant littéralement sur la marchandise offerte à la vue et au toucher des ménagères et des tailleurs.

— Cet autre vous irait mieux au teint, suggère le Félin à l'étonnement de ses amis.

Nul ne connaissait cet aspect de sa personnalité: le conseil en féminité. Isabeau y laisse quelques deniers. Un peu plus loin, c'est l'étal d'un parfumeur qui lui fait perdre la tête. Le chevalier offre à la jeune femme un baume délicatement parfumé à la rose qui la ravit. Lorsqu'ils s'engagent sur le Petit Pont, l'écuyer a déjà sous chaque bras deux paquets enveloppés de tissu. Lui-même s'émerveille et s'effraie en même temps de la densité des maisons qui bordent chaque côté du pont.

— On croirait qu'elles sont près de tomber à l'eau, dit-il comme s'il craignait que cela se produise au moment de leur passage.

Un peu plus loin, ils débouchent presque par hasard sur le parvis de Notre-Dame. Ils sont fascinés par le spectacle grandiose : l'immense façade colorée, les statues d'une remarquable expressivité... Quant au gigantisme de l'architecture, c'est à coup sûr une preuve de l'existence de Dieu.

— Il est évident, assure Isabeau, que seule la main du Tout-Puissant empêche ces murs en dentelle de s'effondrer.

Gilles soupire, mais pour une raison bien différente : à nouveau il pense à Princesse. Il a rêvé d'elle toute la nuit et, après un répit de quelques heures, voici que le souvenir des prunelles ardentes de son *oiseau de nuit* le hante à nouveau.

Le Félin, tout à son admiration pour l'édifice, ne voit pas à côté de lui un garçon d'une dizaine d'années glisser la main dans l'aumônière à la ceinture du provincial.

— Aïïïe ! hurle-t-il en la retirant vivement.

Une minuscule reproduction de piège à loup lui pince les doigts. Vif comme l'éclair, le Félin le saisit au poignet.

— Piégé, jeune coquin, dit-il. Et encore tu as de la chance que j'aie rogné les dents de ce jouet.

Libéré, l'enfant s'éloigne sans demander son reste. C'est alors que Gilles, le suivant du regard, aperçoit au fond de la place une silhouette féminine au coin d'une maison.

— Maître, puis-je vous confier les achats de damoiselle Isabeau quelques instants ? demande-t-il sans quitter des yeux la jeune fille qui se cache dans l'ombre de la ruelle.

Le Félin se retourne, aperçoit à son tour la forme fluette qui tout à coup disparaît. Il repère en même temps, immergé dans la foule des badauds, le visage d'un homme que son regard ne cesse de croiser depuis hier. Il n'en a pas parlé à ses amis pour ne pas les inquiéter, mais ce personnage à l'allure sinistre ne paraît pas animé des meilleures intentions...

— Non, Gilles, je préfère que nous restions groupés sur ces terres grouillantes d'une faune vorace, répond-il.

— Bien maître, fait l'écuyer déçu.

Isabeau s'approche pour lui murmurer quelque chose à l'oreille. Puis elle propose :

— Continuons, messire Yvain. J'ai hâte d'admirer de l'intérieur la maison du Bon Dieu.

Dans la cathédrale, lieu de rencontre et de détente[1], les gens déambulent en discutant. Certains, assis au

---

1. À cette époque, il n'y avait pas de bancs dans les cathédrales. On y venait pour prendre le frais, s'abriter de la pluie ou bien prier.

pied d'un pilier, tiennent une véritable assemblée, d'autres jouent aux osselets, des enfants chahutent joyeusement sous le regard attendri de leur nourrice, des amoureux échangent des murmures… et Gilles ne cesse de regarder derrière lui. Subitement, il s'approche de la fille du seigneur de Montbrisac, lui confie ses paquets, puis se jette à couvert derrière la tribune des sermons. Intrigué et fronçant les sourcils, Yvain l'observe.

— Regardez plutôt là-haut, messire, et dites-moi sur ce vitrail quel est le saint qui semble nous rappeler à l'ordre…

Gilles, échappant ainsi à la vigilance de son maître, surprend une fille de son âge qui contournait un pilier comme au jeu du chat et de la souris. Avec une fulgurante habileté, il lui passe au poignet droit l'un des anneaux de ses menottes (qui n'ont jamais si bien porté leur nom de Bracelets d'Amour), puis l'autre à son propre poignet gauche.

— Tu me cherchais et c'est moi qui te trouve, jolie Princesse, dit Gilles les pommettes roses d'émotion.

Le Félin regarde par-dessus son épaule.

— Je vous préviens, le gronde Isabeau, si vous ne me prêtez point assez attention, je prolonge la course aux échoppes jusqu'au soir.

En fin de matinée, Isabeau et son chevalier protecteur regagnent la rue des Chaussetiers. Ils ont tous les deux les bras chargés de paquets. La première sourit tandis que le second ne cache pas son agacement.

— Allons, Yvain, ne soyez point si sévère. Gilles a bien droit à quelque liberté, déclare la jeune femme.

— Autant qu'il le souhaite, si cela ne met pas sa vie en danger, grommelle le chevalier.

— Que risque-t-il donc? Il s'est trouvé la meilleure protection qui soit, celle d'une jeune fille des rues. Je gage… Qu'y a-t-il? s'inquiète-t-elle brusquement.

Le chevalier s'est immobilisé comme lorsqu'il détecte un danger.

— J'aurais dû y penser. Peste! Je m'en veux! gronde-t-il.

Il gagne en hâte la maison de l'alchimiste Algarante. La porte est entrebâillée… Au sol dépasse une main maculée de sang.

L'Enclos du Temple

Tandis qu'Isabeau aide Garrapie à s'adosser au mur du couloir, le chevalier se précipite vers le laboratoire de l'alchimiste. Il revient bientôt, le visage grave :

— Ils ont saccagé le domaine d'Algarante.

— Ont-ils tué mon maître ? articule douloureusement le serviteur qui presse sur son crâne l'écharpe que lui a donnée Isabeau.

— Non. Ils l'ont enlevé, ainsi que maître Pirus.

— Que s'est-il passé ? demande Isabeau au serviteur.

— Je ne sais pas, madame. Quelqu'un a frappé, puis m'a frappé, et puis plus rien.

La jeune femme échange un regard inquiet avec le Félin. Elle a comme lui deviné l'identité des mystérieux agresseurs.

— Ce *quelqu'un* portait-il un manteau noir orné d'une croix rouge? questionne le chevalier.

— Je ne saurais le dire, monseigneur, répond Garrapie en se donnant une figure d'agonisant.

— Mais si, tu le sais! s'exclame le Félin. Parle, avant que je ne te fracasse l'autre côté du crâne!

Une expression d'épouvante apparaît sur le visage gris du serviteur. Il se tasse en voyant le chevalier se pencher pour le saisir au col. Isabeau s'écarte, le Félin sachant parfaitement ce qu'il fait.

— Dois-je compter jusqu'à trois?

Garrapie fait non de la tête.

— C'est bon, messire, reposez-moi. Je me souviens maintenant; trois seigneurs noirs ont rendu visite à mon maître. Ce sont ces mêmes chevaliers qui vinrent le mois dernier, peu après le passage du marchand syrien...

— Pourquoi leur as-tu ouvert? l'interroge le Félin en secouant le bonhomme comme un prunier.

— Eh bien... beuh...

— Ne cherchez pas, Yvain... Voilà la raison! dit Isabeau en tirant de la ceinture du serviteur une bourse rebondie. Et sans doute est-ce lui qui les a informés du départ de François.

Gilles fait à cet instant irruption sur le seuil de la maison. Il est essoufflé, a un teint de cerise et des yeux brillants d'émotion. Il feint la surprise:

— Ah, vous voici. Je vous ai cherchés toute la...

Il s'interrompt en voyant l'état pitoyable du serviteur que le chevalier maintient au-dessus du sol. Croyant être la cause de cette fureur, laquelle se serait abattue sur la tête de l'innocent Garrapie, il tombe à genoux :

— C'est ma faute, maître, ma très grande faute ! Je ne suis pas digne d'être votre écuyer. Punissez-moi !

— Non content de m'avoir causé du souci, te voici à genoux ! maugrée le chevalier.

De sa main libre, il le saisit par le col et le soulève à hauteur du serviteur qui tourne la tête pour le saluer d'un rapide sourire.

— Les alchimistes ont été enlevés par les frères sergents, annonce gravement le chevalier de Bréa. S'ils ne les ont point occis sur place, c'est qu'ils comptent leur faire avouer quelque secret, sans doute celui du Papyrus du Soleil.

— Et nous allons les délivrer, bredouille Gilles.

— S'ils ont été conduits comme je le pense à la forteresse du Temple, c'est effectivement ce que nous allons faire…

— N'y songez point, monseigneur, le coupe Garrapie. Le Temple est plus qu'une forteresse, c'est une citadelle dans la citadelle. Le roi Philippe s'y est réfugié l'an passé lorsque la révolte saisit la populace. Avez-vous vu les murs ? Même les oiseaux passent au large…

— Un mur ne m'a jamais arrêté, murmure le Félin comme s'il réfléchissait déjà à un plan d'attaque.

— Je vous en prie, Yvain, n'agissez pas par impulsion, intervient Isabeau. Nous ne sommes plus en terre d'Auvergne où même un château en alarme ne saurait vous impressionner. Peut-être devriez-vous demander audience au Grand Maître de l'Ordre.

— Damoiselle Isabeau parle avec sagesse, mon doux seigneur, approuve Garrapie, Jacques de Molay vous recevra sûrement...

Le chevalier acquiesce d'un imperceptible mouvement de tête. Il est furieux, prêt à étriper comme des carpes les cavaliers noirs, mais même cela ne saurait lui faire perdre de vue les réalités.

— Partons voir de quoi il retourne. Tu nous guideras ! ordonne-t-il au serviteur en le lâchant.

Après une traversée de Paris au pas de charge, ils arrivent devant la place forte qui se dresse au cœur de la capitale. Le serviteur n'a pas menti, les murs sont plus lisses et plus hauts que tout ce que le chevalier a jamais escaladé. Même avec les griffes rétractiles de ses gantelets, il n'a aucune chance de franchir ces murailles par la méthode « classique ». Posté à bonne distance avec ses amis et Garrapie, il observe le porche de l'entrée principale située dans une rue large appelée fort à propos : rue du Temple. Deux soldats à grosses moustaches, portant sur le torse la croix rouge sur fond blanc des Templiers, en gardent l'accès la main sur la garde de l'épée. Les lourdes doubles portes cloutées étant closes, nul doute que d'autres gardes veillent de l'autre côté.

— Ces portiers n'ont point l'air commode, murmure Gilles qui craint déjà de devoir les affronter.

— Il faudra pourtant bien qu'ils me laissent passer, dit le Félin.

Il se retourne vers Garrapie pour l'interroger :

— Connais-tu cette forteresse ?

— De l'extérieur seulement, mon bon seigneur, répond le petit homme, la tête rentrée dans les épaules.

De plus en plus indécis, le Félin se tait. Isabeau s'impatiente :

— Yvain, nous n'avons pas d'autre choix que de demander audience au Grand Maître, laissez-moi agir.

— Entendu. Allez-y avec Gilles. Je reste ici.

Isabeau et l'écuyer se hâtent, mais sans courir, vers le Temple. Ils abordent les huissiers à l'instant où un Templier, quittant l'Enclos, franchit le portillon percé dans l'un des battants de la porte. Gilles en profite pour jeter un regard à l'intérieur, mais ne voit qu'une vaste esplanade herbeuse parsemée d'arbres. Le Félin suit des yeux le Templier qui s'engouffre à pied dans une ruelle.

— Veux-tu te rendre utile ? demande-t-il à Garrapie.

— Tout ce que voudra Votre Seigneurie, minaude le petit homme en se courbant.

— Alors suis-moi.

Le chevalier s'élance sur les talons du Templier. Il reparaît bientôt, enveloppé dans un manteau blanc orné d'une croix rouge. Se dirigeant vers la porte du Temple, il croise Isabeau et Gilles qui viennent d'apprendre que le Grand Maître n'est pas présent dans la forteresse. Reconnaissant le Félin, la jeune femme écarquille les yeux tandis que Gilles s'exclame :

— Oh, ça !

Isabeau lui plaque une main sur la bouche et l'entraîne par le bras. Le chevalier se présente aux portiers.

— Bonjour ! les salue-t-il, frère Guillaume de Chaufourt, Templier d'Auvergne.

— Bonjour, frère, répond l'un des gardes d'une voix bourrue tout en considérant d'un œil suspicieux le nouveau venu. Que voulez-vous ?

— Je viens assister à une importante réunion avec Jacques de Molay.

— Ah ? Nous n'avons pas été mis au courant.

— Ce serait la première fois ?

— Certes non, mais… bien. Entrez, frère Guillaume…

Lorsque le garde annonce : « Je vous accompagne », le chevalier a un froncement de sourcils. Le portillon sitôt franchi, le frère sergent fait signe à deux autres gardes de les suivre. Tout en marchant, tel un prisonnier flanqué de soldats, le chevalier explore du regard l'Enclos du Temple. Il s'agit bien, comme le prétendait le serviteur d'Algarante, d'une véritable cité dans la cité : des allées interminables bordées d'arbres, des jardins, une grande église à gauche… Face à eux, un donjon cerné de bâtiments aux murs lisses se dresse comme une forteresse. S'il doit explorer tout le domaine pour trouver la prison, il lui faudra beaucoup plus de temps qu'il n'en dispose.

— Puis-je vous poser une question, mes frères ? demande-t-il.

— Cela dépend, répond le garde moustachu.

— Où donc se trouvent les geôles du Temple ? J'ai ouï dire qu'elles étaient d'une conception singulière et qu'il était impossible de s'en évader.

— Cela se peut, et vous le saurez bientôt. Emparez-vous de lui ! ordonne le frère sergent.

Les deux autres Templiers se saisissent du Félin qui se laisse désarmer avec un air indigné.

— Mais enfin, que vous prend-il ? s'offusque-t-il.

— Je vous trouve bien curieux pour un Templier, explique le portier. Montrez-moi donc le sceau de notre ordre, ainsi que doit le faire tout frère que nous ne connaissons point.

Le Félin garde le silence en soutenant le regard moqueur du garde. Celui-ci s'exclame alors :

— Vous vouliez savoir comment sont nos geôles ? Eh bien, pour commencer ce sera la salle basse[1]… espion !

---

1. La salle basse : en principe, une salle située sous le donjon des châteaux et qui servait de salle de torture.

Il ordonne de faire avancer le prisonnier. L'un des soldats pique les côtes d'Yvain de la pointe de son épée. Le chevalier songe alors qu'il n'a pas de temps à perdre à se faire questionner[1]. Il se retourne et, tout en écartant d'une main la lame qui le menace, il lance un poing dans la figure de son propriétaire. Le deuxième huissier ne peut esquiver le direct du gauche qui le percute au plexus, le pliant en deux. Quant au troisième…

— Chien ! Tu vas mourir ! s'écrie-t-il en levant son épée à deux mains. Peuh !!!

Il reçoit un coup de talon à l'estomac qui lui coupera le souffle pour un moment. Les techniques de combat du Félin sont si insolites que ses adversaires en restent souvent sur le carreau. Le chevalier ramasse son épée. Se relevant, il entend un bref sifflement suivi d'un choc métallique dans son dos. Il fait volte-face. Un archer qui assistait de loin à la scène vient de lui décocher une flèche, mais celle-ci a rebondi sur sa cible comme sur un rocher. Le portier moustachu qui se tient encore le ventre ouvre des yeux épouvantés :

— Le démon ! Le démon est entré dans le Temple, bredouille-t-il le souffle court.

En vérité le Félin a pris la précaution, avant d'affronter les rues parisiennes, de passer sous sa cotte

_____

1. On appelle alors « question » les tortures infligées aux détenus pour les faire parler !

une protection baptisée par maître Pirus Coque-pare-flèches, d'un alliage métallique spécial. Il ne s'attarde pas et s'enfuit vers le donjon alors que fuse sur lui un second trait qui, cette fois, rebondit sur son cœur.

L'archer se signe et s'enfuit.

8
Le diable est dans le Temple !

Dans la rue du Temple où ils ont rejoint Garrapie, Gilles et Isabeau restent indécis.

— Nous aurions peut-être dû prévenir sire Yvain que le Grand Maître n'était pas au Temple, hasarde Gilles.

Isabeau se mord les lèvres, consciente d'avoir manqué de présence d'esprit. Le serviteur lâche dans un soupir :

— Eh oui, l'oriflamme n'était pas levée…

— Hein ? Que veux-tu dire ? réagit l'écuyer.

— Que lorsque le Grand Maître est dans la place, le drapeau templier claque au vent, répond le serviteur en désignant de son index noueux la hampe nue qui surplombe le rempart.

Gilles ferme les yeux et serre les dents :

— Isabeau, m'autorisez-vous à frapper ce nabot ?

— Non, réplique sèchement la jeune femme. Nous ne pouvons rien faire d'autre qu'attendre… et prier.

Une partie de l'après-midi, ils restent les yeux rivés sur l'entrée de l'Enclos du Temple, le rythme de leur cœur s'accélérant chaque fois que s'ouvre le portillon pour livrer passage, dans un sens ou dans un autre, à des personnages enveloppés pour la plupart d'un manteau blanc. Ils notent une évidente nervosité chez les frères portiers dont le nombre a été doublé. À plusieurs reprises, les deux battants de la lourde porte s'écartent pour laisser sortir des Templiers à cheval qui paraissent singulièrement pressés. Tandis qu'Isabeau se tord les doigts d'anxiété, Gilles se chamaille avec le serviteur qui ne cesse de se plaindre et peste contre les passants qui parfois leur demandent méchamment de se pousser. Un seul incident vient perturber cette éprouvante attente. Gilles, qui ne peut rester immobile plus d'un quart d'heure (contrairement à son maître capable de se transformer en statue), s'éloigne de temps en temps pour explorer les rues avoisinantes. C'est ainsi qu'il repère un homme qui, de toute évidence, l'épie de loin, si bien qu'il finit par s'en irriter et le prend en chasse.

Il revient vers Isabeau, mortifié… l'œil poché.

— Le maraud m'a pris par surprise, maugrée-t-il. Il était caché sous un porche quand il m'a lancé son poing dans la figure. Mais qu'il revienne et je lui sculpterai une face de gargouille !

Isabeau est trop préoccupée par l'absence du Félin pour s'amuser des déboires de son jeune compagnon. Le crépuscule s'annonçant, elle finit par se décider à rentrer chez maître Algarante.

— Cela ne sert plus à rien d'attendre, dit-elle d'une voix lasse.

— Et cela deviendra dangereux sous peu, renchérit le serviteur.

Sur ces mots, il se redresse et ouvre de grands yeux :

— Oh, dame Isabeau ! Dieu récompense enfin votre patience. Le voici !

La jeune femme se retourne vivement, mais ne voit qu'un groupe de Templiers à cheval approchant du portail... un de plus. De déception, les larmes lui montent aux yeux.

— C'est bien lui, je le reconnais, murmure le serviteur comme pour lui-même. Ce chevalier à longue barbe, c'est Jacques de Molay.

— Par Dieu ! Ne pouvais-tu le dire plus vite ? lui reproche Isabeau.

Gilles, qui se retient depuis si longtemps de frapper l'horripilant personnage, lui abat son poing sur le crâne.

— Viens, Gilles. Il faut absolument lui parler avant qu'il ne disparaisse dans le Temple.

La fille du seigneur de Montbrisac se précipite vers le Grand Maître et, pour l'empêcher de passer le portail, se plante devant sa monture qui recule en tapant du sabot.

— Messire de Molay, un mot par pitié! Je m'appelle Isabeau de Montbrisac, laissez-moi vous parler d'une terrible affaire.

Le Templier dévisage d'un air sévère la femme qui vient d'effrayer sa monture.

— De terribles affaires, j'en ai mon compte en ce moment, madame. Et pour ce soir, j'en suis plus que repu! Revenez demain.

— Impossible! Demain il sera trop tard, vous devez me recevoir maintenant. C'est une question de vie ou de mort... De vie ou de mort, Grand Maître, répète-t-elle en fixant l'homme droit dans les yeux.

Jacques de Molay éprouve un frisson d'inquiétude. Il consulte du regard l'un des chevaliers qui l'accompagnent, puis soudain lâche comme un ordre sec:

— Suivez-moi!

À peine a-t-il franchi le porche qu'un Templier se précipite à sa rencontre pour lui annoncer d'une voix tremblante d'émotion:

— Maître, le diable s'est introduit par ruse dans le Temple!

— Que dis-tu, frère Thibault? Quel diable?

— Le Malin, celui de nos cauchemars. Endossant le blanc manteau, il a forcé l'entrée de l'Enclos, puis

s'est débarrassé à mains nues de trois frères portiers.
Un archer lui a décoché deux flèches qui ont rebondi
sur son corps. Et pour finir, la Bête s'est évanouie.

— Diantre! Je ne puis y croire. L'avez-vous cher-
chée?

— Non point, mon frère, on ne pourchasse pas le
diable sans protection particulière. Nous attendions
votre retour, répond le Templier.

— Soyez rassuré, Grand Maître, enchaîne Isabeau,
ce diable est bien de chair. Il s'appelle Yvain de Bréa.
C'est un chevalier de grande valeur qui sert depuis
son enfance le seigneur de Montbrisac, mon père.
Recevez-moi et vous obtiendrez sur-le-champ la clé
de cette énigme.

— Soit. Suivez-moi, consent Jacques de Molay en
mettant pied à terre.

Il reçoit les deux Auvergnats dans une immense
salle du donjon où se déroulent les grandes réunions
de l'Ordre. L'homme paraît fatigué, rongé par les
soucis.

— Je vous écoute, lâche-t-il en se laissant tomber
dans un fauteuil à dais.

Isabeau, habituée à représenter son père dans certaines rencontres entre seigneurs, trouve le ton et les
mots justes pour rapporter les faits qui l'ont conduite
à Paris avec le chevalier de Bréa. Elle relate l'enlève-
ment des deux savants, puis explique comment le

chevalier a pu à ce point effrayer les frères Templiers. Elle conclut en formulant sa requête :

— Votre Seigneurie, c'est pour retrouver les savants que le chevalier de Bréa s'est introduit dans l'enceinte du Temple. Parce qu'il est certain que les frères sergents les ont amenés ici pour leur faire subir je ne sais quel tourment, et...

— Allons, tout cela ne tient pas debout, le coupe le Grand Maître avec un geste d'agacement. Aucun frère de l'Ordre n'oserait enfermer au Temple des alchimistes sans que j'en sois aussitôt informé, encore moins des sergents.

Déstabilisée, Isabeau réalise qu'ils se sont peut-être complètement trompés sur les chevaliers noirs et leurs intentions. Et l'autre hypothèse qu'elle entrevoit l'épouvante. Jacques de Molay appelle d'un geste un homme en armes posté à la porte de la salle :

— Frère Guillaume, allez donc vous renseigner sur cet intrus. Qu'on essaie de le retrouver.

— Punirez-vous le chevalier de Bréa si on l'attrape ? s'inquiète Gilles.

— J'ai d'autres chats à fouetter en ce moment, mon garçon, et votre histoire est bien dérisoire en regard de ce qui se passe...

— Ah ? Il se passe des choses ? demande spontanément l'adolescent.

— Gilles ! l'interrompt Isabeau en le fusillant du regard.

Le garçon rougit, mais le Grand Maître, esquissant un sourire, répond à sa question :

— Le roi Philippe honnit l'ordre du Temple, et je le soupçonne de vouloir nous nuire bien plus gravement qu'il ne l'a fait jusqu'à présent.

— Que peut-il donc ? Le Temple n'est-il point un ordre de grande richesse et réputation ? s'étonne Isabeau.

— Sans doute, mais Philippe le Bel est inspiré par le diable… Ce Nogaret[1], si je le tenais ! grince le Grand Maître en serrant le poing.

À cet instant, frère Guillaume entre dans la salle.

— Grand Maître, nous avons retrouvé l'intrus.

— Bien, amenez-le.

Le Templier hésite :

— Eh bien… Si l'homme n'est pas le démon il lui ressemble, car en ce moment il mène rude vie à une dizaine des nôtres dans le réfectoire.

Isabeau se prend le visage à deux mains de bonheur, mais aussi pour cacher son envie de rire. Gilles n'a pas la même retenue…

---

1. Guillaume de Nogaret : conseiller de Philippe le Bel, il joua un rôle déterminant dans la disparition des Templiers.

9
Rusé Gilles

Le jour décline quand les trois amis et le serviteur d'Algarante franchissent en sens inverse le Petit Pont. La cohue est devenue supportable et les marchands ferment un à un leur échoppe.

— Ce n'est rien, je vous assure, répond pour la troisième fois le chevalier de Bréa à Isabeau qui veut l'aider à marcher.

Pourtant le guerrier claudique en se tenant le bras droit, un filet de sang a coulé au coin de sa bouche et sa pommette gauche porte la marque d'un coup.

— Dix contre un! fait Gilles, rêveur. Si j'avais été là, il en aurait fallu quinze, car je ne compte encore que pour moitié!

— Si vous n'étiez point arrivés si tôt, j'en aurais eu vite fini avec les cinq qui restaient debout, dit le Félin dont ce n'est guère l'habitude de se vanter, mais il ajoute : les cinq premiers croyaient si fort que j'étais un diable qu'ils en perdaient tous leurs moyens.

Ils s'engagent dans la rue Saint-Jacques.

— Qu'allons-nous faire pour retrouver les alchimistes ? interroge Isabeau.

Pour la première fois depuis qu'ils ont quitté l'Enclos du Temple, Yvain vacille et doit s'appuyer sur l'épaule de son écuyer pour ne pas choir.

— Je ne sais, répond-il, pâle comme un linge. Il faut que je me repose quelques heures, ensuite… ensuite nous n'aurons d'autre choix que de passer cette maudite ville au peigne fin.

— Alors tout est perdu, se désole Isabeau.

— Jamais, tant qu'on peut bouger ! s'exclame le chevalier.

Il ferme les yeux pour dominer une violente douleur au côté. Garrapie s'approche :

— Je vous concocterai une décoction, monseigneur, qui vous fera oublier toute souffrance. Et j'en préparerai une seconde qui vous rendra votre force… et par surcroît vous donnera celle de ce furieux guerrier, ajoute-t-il en adressant un sourire en coin à Gilles.

Celui-ci le dévisage d'un air sévère :

— Dis-moi, coquin, peut-être que si nous te soumettions à la question[1] tu pourrais nous dire sous quel toit retrouver nos chers maîtres.

---

1. Soumettre à la question : torturer pour obtenir des aveux.

— Oh non, pitié messire, je ne sais rien, je vous le jure ! Je n'ai fait qu'accepter la bourse des Mauresques, seulement leur bourse.

— *Mauresques*, dis-tu ? relève le chevalier.

— J'ai dit *Mauresques* ? s'étonne le petit homme.

— Vous voyez, messire, il en sait plus qu'il ne dit ! s'écrie Gilles. Confiez-le-moi, je vous jure qu'il me donnera jusqu'au trou dans lequel il a caché ses deniers.

— Sous la troisième marche de l'escalier du grenier, déclare avec empressement le serviteur. Croyez-moi, messeigneurs, je ne suis que cupide et point fripouille. J'ai dit Mauresques car en effet un des trois Templiers avait la peau mate des Maures. Alors le mot m'est venu tout naturellement.

Yvain réfléchit quelques secondes, puis déclare :

— Cela pourrait signifier que les ravisseurs viendraient de loin et ne sauraient circuler dans Paris sans se faire remarquer. C'est un indice. Avançons, nous en trouverons sûrement d'autres sous peu.

Alors que la nuit enveloppe la ville d'un voile menaçant, les trois amis tiennent conseil dans la pièce principale de la maison d'Algarante. Le serviteur est au laboratoire en train de préparer ses potions revigorantes. Malheureusement, aucune déduction supplémentaire, aucun indice nouveau n'a fait avancer leur réflexion. Ils sont conscients que des jours et des semaines peuvent s'écouler avant qu'ils ne retrouvent le lieu de détention des alchimistes... ou leurs cadavres. Et cela les met en rage.

Rompant un pesant silence, Gilles s'exclame en claquant des doigts :

— J'ai une idée !

Isabeau et Yvain le dévisagent avec appréhension, car lorsque l'écuyer fait ce genre de déclaration, on peut s'attendre à tout.

— Je sais peut-être comment retrouver les alchimistes. Malheureusement, je ne puis le dire.

— Pourquoi donc ? l'interroge Isabeau.

— Si je le fais, mon maître va se mettre en colère.

— Mais non, il est trop fatigué, objecte la jeune femme. N'est-ce pas, Yvain ?

Le Félin préfère ne pas répondre. Il est déjà en colère.

— Nous t'écoutons, Gilles, reprend Isabeau.

— Eh bien, voilà...

L'écuyer explique son plan qui tient en peu de mots, mais assez pour que le chevalier se fâche :

— N'as-tu rien de plus stupide à proposer ? Puisque je suis déjà en courroux, tu peux y aller !

— Non, maître, c'est ce que j'ai trouvé de plus fou. Me donnez-vous l'autorisation ?

— NON !

Sur ce, Garrapie apporte la première décoction que le Félin avale de mauvaise grâce. Gilles renouvelle sa demande... La réponse fuse à nouveau :

— Non !

La seconde décoction arrive.

— Celle-là vous enchantera, mon doux seigneur, commente le serviteur.

Le chevalier la boit, cette fois sans plisser le nez.

— Hum, excellent...

Il se détend. Bientôt un étrange bien-être se lit sur son visage et sa tête est prise d'un léger balancement. Sous le regard déconcerté d'Isabeau, il commence à tenir de singuliers propos :

— Paris est le paradis des Isabeau... Il faut trois coqs pour faire un bon poulet...

— Allongeons-le sur le lit de la pièce voisine, suggère le serviteur d'un ton empressé.

— Qu'as-tu mis dans cette tisane ? s'inquiète Isabeau.

— Rien de bien méchant. Un condiment appelé « opium ».

Saisissant sa chance, Gilles reformule sa demande d'autorisation :

— Sire Yvain, puis-je sortir pour trouver le renseignement que nous cherchons ?

— Mouin... ? Fais mon petit, petit tour, petit tour à tâtons... Rontonton, ton, ton ! chantonne le chevalier.

— Arme-toi, Gilles, et fais vite, dit Isabeau. Mais par pitié, reviens-nous sain et sauf.

— C'est bien mon intention, dame Isabeau. Merci, Garrapie ! Finalement, il est possible que tu échappes à des représailles.

Après être passé par sa chambre pour préparer en hâte son expédition nocturne, l'adolescent quitte la maison d'Algarante. Une fois plongé dans l'oppressante obscurité de la rue, il réprime un frisson puis s'éloigne en courant.

10

C'est dangereux, Paris, la nuit…

Pour commencer ses recherches, Gilles ne choisit pas la facilité. Il se rend dans la rue voisine, celle de la sinistre taverne du Coq Rouge. Avant de pousser la porte basse, il prend une profonde inspiration comme pour plonger dans le Styx, le fleuve des Enfers. Le sombre battant s'ouvre brusquement, livrant passage à deux hommes à la silhouette massive qui le bousculent en grognant. En d'autres circonstances, l'intrépide écuyer aurait demandé aux malotrus de s'excuser… Ce soir, c'est lui qui le fait.

En franchissant le seuil, une odeur de vinasse saisit Gilles aux narines. Quelques marches plus bas, la salle est encombrée de tables et de tabourets occupés par une vingtaine d'individus plus louches et repoussants les uns que les autres. C'est bien en enfer qu'il vient de poser le pied, se dit-il, songeant qu'il va être accueilli comme un ange aux ailes coupées. Son entrée passe inaperçue, jusqu'au moment où une matrone volumineuse et édentée l'apostrophe :

— Ouh! Fouchtra, le beau jambonneau! Mais qu'est-ce qui t'arrive, mon tout beau, t'es perdu?

Sa voix criarde parvient à réveiller jusqu'au plus aviné des clients. Gilles esquisse un sourire, puis il se ravise en se disant que dans ces «culs de l'enfer», mieux vaut faire mauvaise figure. Sans prêter attention à la femme, il se dirige vers le fond de la *caverne* où le tavernier en tablier crasseux, poings sur les hanches, l'observe avec perplexité. Au passage, on lui lance des appels à venir «s'arroser le gosier», des mains malhabiles lui tâtent les mollets comme à un mouton la laine, une femme immonde le prend même par le cou pour l'accompagner sur quelques mètres. À la lumière orangée des rares torches qui éclairent les lieux, personne ne voit la pâleur du jeune homme, ni le léger tremblement de ses mains.

— Bonjour, tavernier! lance-t-il en forçant sa voix juvénile pour la rendre plus grave.

— Rmmm! grogne le tavernier. Qu'est-ce tu veux, marmot? T'as perdu ta maman?

— Non, ma fiancée.

Le gros homme éclate de rire et toute la salle avec lui.

— Et c'est au Coq Rouge que tu viens la chercher ?
En pleine nuit ?

— Cherche pas, tavernier, s'écrie une voix derrière
Gilles, c'est l'ogresse Margot, sa fiancée !

Un tonitruant concert de rires retentit à nouveau.

— Et comment qu'elle s'appelle, ta fiancée ?
demande la grosse femme édentée en approchant du
garçon.

Elle le fixe d'un regard enflammé, comme si elle
allait le dévorer tout cru.

— Princesse. C'est une fille des rues, une coupe-
bourses…

Une fois encore, l'air vibre de l'hilarité générale.

— Oh ben, faudra nous l'amener ta Princesse…
Y a plein de bourses à couper, ici ! s'exclame en se
levant un vieillard maigrelet.

— On n'en connaît qu'une, de princesse, déclare
le tavernier, celle du Coq Rouge…

— Môôôaaa ! fait la grosse femme en se désignant
d'un geste maniéré.

Gilles grimace un sourire.

— Comment pourrais-je retrouver la bande de
détrousseurs qui sévit dans le quartier ?

L'expression du tavernier change d'un coup.

— C'est pas une question à poser, ça, grince-t-il,
l'œil soupçonneux. Dis donc, tu serais pas un espion
de la police par hasard ?

— Non, je ne suis que l'écuyer du chevalier de Bréa, déclare Gilles. Rien à voir. Il vit en Auvergne.

— Ah bon…

— Dans le qua… le quaaaar-tier, fait un homme tellement ivre qu'il en bégaye, j'vois que la… la bande à Saint-Mi… Saint Mi-mi… miche !

Il reçoit un coup de tabouret qui l'étend sur sa table. Mais Gilles a son renseignement, il connaît cette rue Saint-Michel pour l'avoir traversée avec Princesse dans la matinée. L'ambiance dans la taverne est maintenant très lourde. Les loups et les rats semblent soudain s'apercevoir qu'ils ont à portée de dents un *beau jambonneau.* Plusieurs hommes se lèvent, certains en manipulant un couteau. Gilles recule, effrayé.

— Eh, qu'est-ce que vous allez lui faire, à ce gentil damoiseau ? s'inquiète la grosse dame.

— Le plumer et le mettre au fourneau, ricane un homme.

Gilles plonge la main dans l'une des poches secrètes de sa cotte.

— Ne vous souciez point de moi, belle dame, dit-il. J'ai l'habitude de ce genre de situation… Vous voyez cette chose, messeigneurs ? demande-t-il en présentant dans sa paume une boule noire surmontée d'une courte mèche. Regardez bien, je vais vous en mettre plein la vue !

Il s'approche d'une torche fixée au mur et enflamme la mèche. Il pose la boule sur une table puis s'éloigne :

— Ouvrez grand vos yeux! Ma science va vous éblouir!

Intrigués, clients, matrones et tavernier observent la sphère noire dont le sommet projette une jolie gerbe d'étincelles. Et tout à coup, dans un grand «vlouf», elle explose en illuminant la salle d'un puissant éclair. Des cris fusent: «Le fourbe, il nous a eus!», «Par Belzébuth, je n'y vois plus!» ou encore «Attrapez-le! Qu'on le fasse rôtir!» Mais le rôti est déjà loin...

Plutôt fier de lui, Gilles trotte dans les rues de la capitale comme un rat dans un labyrinthe. À un moment, il tombe nez à nez avec une patrouille de sergents de ville armés de lances:

— Halte-là!

Dans la course-poursuite qui s'engage, les soldats n'ont aucune chance de rattraper l'agile écuyer. Mais l'incident lui ayant fait perdre ses repères, il ne sait plus quelle direction prendre. Il déambule ainsi pendant une heure, sans rencontrer âme qui vive, captant seulement de temps à autre une scène de ménage ou le ronflement d'un dormeur s'échappant d'une fenêtre. Ayant atteint la Seine, il parvient à retrouver le Petit Pont, puis... enfin, la rue Saint-Michel!

Il s'y engage avec la certitude qu'il trouvera vite ce qu'il cherche. Effectivement, il repère bientôt au fond d'une impasse une cour au milieu de laquelle flambe un feu. C'est exactement ce que Princesse lui a dit voir depuis sa chambre. À peine y pénètre-t-il qu'une voix l'interpelle :

— Qui va là ?

Gilles se retourne et distingue, à la lumière conjuguée de la lune et du feu, un adolescent de son âge, hirsute, maigre et crasseux. Il lui adresse un sourire et répond :

— Gilles d'Estrée, écuyer du Félin. Je viens voir Princesse.

— En quel honneur ? demande le garçon.

Deux autres jeunes gens font leur apparition. Ils se plantent devant l'intrus pour lui barrer le passage.

— En un honneur qui ne te regarde pas, rétorque-t-il. Est-elle là ?

— T'es bien arrogant pour un étranger, dit le garçon en s'essuyant le nez du revers de la main.

Il commence à s'agiter comme s'il s'apprêtait à ouvrir les hostilités. L'écuyer, à l'instar de son chevalier, conserve un calme olympien.

— Je te conseille de t'écarter, mon ami, car je n'ai guère de patience ce soir. Comment t'appelles-tu ?

En réponse, le garçon tente de lui assener un coup à la figure, mais son poing balaie l'air. Il lance un crochet du gauche... qui lui aussi ne rencontre que le vide.

— Tu chasses les mouches ? raille Gilles. Alors je t'appellerai Chasse-mouches !

Fulgurant comme l'éclair, il décoche un coup de poing sur le nez de son adversaire qui atterrit sur les fesses. Gilles sourit. Il se sent dans une forme éblouissante !

— Outch !

Il reçoit un traître coup derrière la tête. Il s'étale à son tour, se retourne et distingue vaguement la silhouette d'un homme...

11

Colère et espoir

Aux premières lueurs de l'aube, dans l'une des chambres qui donnent sur la cour dite des «Coquins de Saint-Michel», Princesse se réveille. Assise sur le grand lit qu'elle partage avec ses trois frères, elle s'étire longuement, puis ébouriffe sa somptueuse chevelure brune. Les garçons grognent en se retournant ou en se glissant la tête sous le traversin de paille. Elle se lève et se rend à la fenêtre pour humer l'air frais et contempler le ciel.

— Hiii! s'écrie-t-elle en portant les deux mains à son visage.

Elle se rue hors de la chambre, dévale quatre à quatre les marches de bois qui mènent au rez-de-chaussée, traverse la cour en criant:

— Gilles! Mon Gilles!

L'écuyer, le cou pris dans un carcan[1] et attaché à un poteau, accueille la jeune fille avec le sourire :

— Princesse ! J'ai attendu toute la nuit, mais je ne le regrette pas.

— Que fais-tu là, mon Gilles ?

— J'étais venu chanter la sérénade sous ta fenêtre, mais des malotrus m'en ont empêché.

— Que tu es fou ! s'exclame-t-elle en riant.

L'ayant délivré, elle se jette dans ses bras pour l'embrasser alors qu'approche une vingtaine d'hommes, de femmes et d'enfants intrigués. Parmi eux, goguenards, les garnements qui l'ont cette nuit si bien «cloué au pilori».

— Je n'en aurais fait qu'une bouchée si je n'avais été traîtreusement assommé par un colosse, précise-t-il.

— Ainsi tu as bravé la nuit et les coupe-jarrets pour venir me voir ? demande la jeune fille les yeux brillants de bonheur.

— En vérité, Princesse, j'ai besoin de toi pour une affaire grave…

— Ah ? Tu n'es point là par amour ? murmure-t-elle en baissant les yeux.

— Si, bien sûr, mais un peu aussi pour cette affaire… un peu beaucoup même.

Princesse affiche une mine boudeuse.

---

1. Un carcan : un collier de fer.

— Il n'y a point d'affaire plus grave que l'amour!
affirme-t-elle.

— Certes, mais là…

— Tu le connais, cet étranger? demande un adolescent à l'œil noir et à la chevelure en bataille.

Gilles le reconnaît immédiatement:

— Tiens! Chasse-mouches! J'espère que tu ne m'en
veux pas pour la petite bosse d'hier soir?

En réponse, le garnement le gratifie d'un direct du
droit à la mâchoire.

— Nous voici quittes, annonce-t-il. Maintenant,
raconte-nous un peu ce qu'il t'arrive…

À quelques pâtés de maisons vers le sud, le Félin
laisse éclater sa colère. Il vient de sortir des brumes de
la tisane de Garrapie et d'apprendre que Gilles lui a
désobéi.

— Il ne vous a point désobéi, assure Isabeau, vous
lui avez donné vous-même d'une voix fort claire l'autorisation de sortir. N'est-ce pas, Garrapie?

Le serviteur, réfugié dans un coin de la chambre,
approuve vigoureusement de la tête.

— Dame Isabeau, je ne suis guère heureux de ce
complot, dit gravement le chevalier, Gilles risquait sa
vie seul et de nuit dans cette ville. Vous avez manqué
de jugement…

Des éclairs jaillissent des yeux bleu-vert de la jeune
femme:

— Dites-moi, chevalier Félin, à quatorze ans, que faisiez-vous seul et de nuit, un matin de juin, sous le porche de l'église Notre-Dame-du-Port à Clermont?

Yvain fronce les sourcils. Il ne s'attendait pas à pareille contre-attaque.

— Ce que je faisais? Voyons... Qui vous a parlé de ça?

— Votre suzerain dont vous fûtes l'écuyer et qui est aussi mon père! Et il m'a même raconté, en riant bien d'ailleurs, que pour les beaux yeux de la donzelle vous lui aviez désobéi en employant le plus rusé des stratagèmes.

Le Félin se renfrogne.

— Garrapie! Mon équipement de guerre! ordonne-t-il tout à coup. Je vais chercher mon écuyer.

— Ce serait mot pour mot ce que mon père aurait dit au matin... fait Isabeau.

Juste avant que le chevalier ne parte à la recherche de Gilles, celui-ci se présente chez Algarante, accompagné de Princesse. Isabeau les embrasse tous deux tandis que le Félin surgit dans le hall avec sa mine des mauvais jours. Il a revêtu son armure anthracite et porte sous le bras son fameux heaume tête de panthère.

— Te voici enfin, fripon! marmonne-t-il. Si je n'étais pas contre les châtiments corporels, tu recevrais la correction de ta vie.

— Tant que vous voudrez, mon maître, mais plus tard. Il y a urgence.

— Tu as retrouvé maître Pirus ? le presse Isabeau.

— Presque. Voici les nouvelles. Paris est en émoi, des soldats courent en tous sens. On parle d'arrestations et de combats en de nombreux quartiers.

— Qui arrête-t-on ?

— Les Templiers, si l'on en croit la rumeur. Philippe le Bel aurait ordonné l'interpellation de tous les chevaliers, prêtres et sergents qui se revendiquent de l'Ordre. Jacques de Molay lui-même serait sur le point d'être arrêté.

— Paris va se soulever, prédit Garrapie, car les Templiers sont fort aimés du peuple.

— Si cela se produit, dit Gilles, prévoyons que les cavaliers noirs vont prestement faire leurs bagages. Dès lors, on peut craindre qu'ils ne laissent derrière eux que morts et cendres.

— Mais comment trouver leur repère ? s'inquiète Isabeau.

— J'y viens, reprend l'adolescent. Princesse et sa famille ont ouï dire qu'un trio de seigneurs noirs aurait acheté à prix d'or le droit de séjourner dans une carrière, quelque part du côté de la Reine Blanche...

— Je connais fort bien ce coin, le coupe Garrapie. Le sous-sol est truffé de mines de gypse ou de calcaire. Des bandes de malandrins y ont installé leur repaire. Sans doute vos chevaliers ont-ils loué l'une de ces cavernes qu'on dit profondes comme l'enfer. Avez-vous plus de précisions, messire Gilles ?

L'écuyer adresse un regard plein de tendresse et de reconnaissance à Princesse.

— Oui.

D'un geste vif, le Félin glisse son épée longue dans son fourreau.

— Arme-toi jusqu'aux dents, Gilles. Nous allons délivrer nos savants.

— Pourrons-nous compter sur votre famille ? demande Isabeau à Princesse.

— Hélas, madame, aucunement. J'ai déjà bravé les foudres de mon père pour accompagner mon Gilles jusqu'ici. Je doute fort qu'il risque sa vie et celle des nôtres pour des étrangers, surtout en ces temps d'orage.

— Nous nous débrouillerons sans eux, tranche le Félin. Partons.

— Bonne chance, mes amis, dit alors Garrapie avec un soupir ému. Je vais beaucoup prier pour le salut de votre âme.

— Tu viens avec nous. Munis-toi d'un solide gourdin.

Le serviteur s'évanouit.

12

La fin de maître Pirus

Vingt pieds sous terre, dans l'une des immenses cavernes d'exploitation du sous-sol parisien, maître Pirus et maître Algarante se disputent bruyamment.

— Mais non, te dis-je! s'exclame le second, en égyptien ancien la chouette symbolise la nuit tandis que le soleil désigne clairement le jour. N'est-ce point évident?

— C'est trop évident, justement! Et je vois par ailleurs une autre raison de douter…

— Il suffit! Je n'en puis plus! s'écrie un homme au visage basané en se levant vivement de son fauteuil.

La caverne a été sommairement meublée de coffres, de sièges et d'une table longue sur laquelle travaillent les deux alchimistes depuis la veille. Deux de leurs ravisseurs sont présents. Celui qui vient de parler, avec un fort accent guttural, a le visage anguleux et l'expression farouche des hommes du désert. Il porte une tunique noire ornée sur la poitrine de la croix templière rouge. En dessous, il a passé une cotte de mailles au métal mat. Son acolyte est pareillement vêtu et dans son regard luit une terrible impatience. Et la nervosité avec laquelle il serre la poignée de son épée ne présage rien de bon. Il lance quelques mots en arabe que traduit aussitôt le premier chevalier.

— Nous vous accordons encore deux heures pour nous donner la traduction du Papyrus. Passé ce délai...

Mimant le geste de se trancher la gorge, il fait comprendre aux savants ce qui les attend s'ils échouent. En vérité, ils n'ont aucune hâte à achever ce travail, car ils savent bien que cela ne ferait que précipiter leur mise à mort. Aussi se sont-ils jusque-là chamaillés sans retenue.

— *Forsitan leviter modum excesserimus*[1], annonce en latin maître Pirus.

Le chevalier se met aussitôt en colère. Plantant son poignard dans la table, il hurle :

— Je vous ai interdit de parler cette langue ! Encore un mot de la sorte et je vous tranche la gorge, à tous les deux. Compris ?

— *Ita est*, répond Algarante en latin. Pardon... je voulais dire : compris, monseigneur.

-----

1. «Nous avons peut-être un peu forcé la dose.»

Un homme pénètre à grandes enjambées dans la carrière dont le plafond bas est soutenu par de nombreuses colonnes de calcaire. Deux hommes à la mine patibulaire l'accompagnent. Les chevaliers noirs échangent de vifs propos en arabe. L'un d'eux jette un regard furieux aux savants.

— As-tu compris ? murmure Algarante qui connaît assez bien l'arabe.

— Il me semble qu'il se passe de fâcheux événements en surface, réplique maître Pirus. Veux-tu que je te dise ? Si Dieu et le Félin ne nous viennent pas en aide, nous finirons nos jours sous terre.

Maître Algarante acquiesce de la tête. Baissant les yeux sur le Papyrus du Soleil posé devant lui, il s'exclame :

— Oh, Philogène ! Vois-tu, là, ce minuscule symbole en forme de crosse ? Nous l'avions négligé.

— Mais oui, tu as raison ! Attends, je reprends le texte de Casius Maximus...

Tandis que l'alchimiste auvergnat se penche sur le cahier de parchemins rapporté d'Orient par le marchand syrien, les chevaliers noirs donnent des ordres aux deux sbires qui aussitôt s'éclipsent. Ensuite, les trois hommes se retournent. Une expression de dépit se lit dans leurs yeux en voyant les savants excités par leur trouvaille qui, peut-être, donnera la clé du mystère...

Princesse conduit ses nouveaux amis hors les murs de Paris. Après avoir longé la Bièvre sur quelques centaines de pas, elle désigne l'entrée d'une grotte artificielle percée à flanc de colline. Un chemin caillouteux y grimpe sur lequel s'engage la petite troupe. Soudain, Princesse lance :

— À couvert !

Juste à temps, tous se jettent dans les fourrés. Garrapie ne trouve rien de mieux que de s'empêtrer dans un roncier. Deux hommes moustachus au regard sombre, portant un coutelas marin à la ceinture, sortent de la galerie. Ils dévalent rapidement la pente sans prêter attention au bonhomme maigrelet qui se bat avec les ronces.

— Ce sont deux des hommes du Loup de Mer, explique Princesse. Ils étripent les enfants comme des poissons et poignardent les vieillards comme des rats. Je ne vous souhaite pas d'avoir affaire à eux.

— Nous en avons vu d'autres, fanfaronne Gilles. N'est-ce pas, messire ?

— Je ne crois pas, répond distraitement le Félin. Princesse, nous te remercions de ton aide. Tu peux rentrer chez toi.

Il se tourne vers la fille du seigneur de Montbrisac. Il aimerait lui donner ce même ordre, mais il sait que la bataille verbale qui s'ensuivrait est perdue d'avance. D'ailleurs, la jeune femme a déjà sorti son Bras-de-Shiva.

— Que faites-vous, dame Isabeau ? Vous ne venez point avec moi ? s'étonne Princesse.

— Je ne rate jamais un combat intéressant, rétorque la jeune femme. Merci, Princesse. Maintenant, éloigne-toi prestement.

La jeune fille fixe Gilles d'un regard indécis. Celui-ci lui sourit avant de l'embrasser et de la remercier à son tour.

— Dès que nous aurons réglé cette affaire, je viendrai te raconter nos exploits, dit-il.

Princesse regarde Isabeau puis le Félin, comprenant que l'une ne peut aller sans l'autre.

— Qui a dit que j'allais t'abandonner, mon Gilles ?

— Quoi ? Hors de question ! réagit l'écuyer.

— Je suis comme dame Isabeau, je ne rate jamais une occasion d'admirer mon champion. Cessons de bavarder, suivez-moi !

Le chevalier de Bréa esquisse un bref froncement de sourcils semblant signifier : «Ah, ces femmes !»

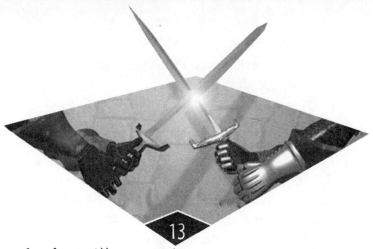

13

La bataille suprême est engagée

La galerie, longue d'une dizaine de toises[1], s'enfonce droit jusqu'à la caverne dans laquelle résonnent plusieurs voix d'hommes. Parmi elles, les Auvergnats distinguent celle de maître Pirus qui profère des menaces :

— Si vous osez, ce serait non seulement un crime terrible aux yeux de Dieu, mais pire que tout, un sacrilège au regard de la science. Car dans ma cervelle, j'ai engrangé soixante-dix années de savoir !

Le Félin comprend qu'il y a urgence.

— Nous allons attaquer. Tenez-vous prêts, murmure-t-il en tirant doucement son épée. Gilles, tu te mettras devant les savants, en protection ; Isabeau,

---

1. Une dizaine de toises : environ vingt mètres.

demeurez en retrait avec Princesse. Approchons aussi silencieux que des ombres…

C'est le moment que choisit Garrapie pour s'entraver et s'étaler de tout son long. Horripilé, Gilles serre poings et mâchoires et frappe le sol du talon. L'avantage de la surprise étant perdu, le chevalier s'élance suivi d'Isabeau qui fait claquer son fouet pour en dénouer la triple lanière. Avant de leur emboîter le pas, dague Lance-Poudre-aux-yeux en main, Gilles donne un nouveau coup de poing sur le crâne du serviteur.

— Ouille ! couine ce dernier.

— Yaaaa ! hurle l'écuyer.

Les chevaliers noirs font volte-face. Leur effarement ne dure pas plus d'une respiration. Ils poussent des jurons en arabe et s'embusquent chacun derrière un pilier.

— Gare, Yvain, avertit maître Pirus, les coquins vous attendent derrière ces colonnes !

Un poignard fuse dans sa direction. Atteint en pleine poitrine, le vieil homme s'effondre dans les bras de son compagnon qui s'écrie :

— Philogène ! Par les foudres de Zeus, non !

Levant son épée au bon moment, le Félin intercepte la lame qui allait le décapiter. Il pivote et esquive de justesse celle d'un second adversaire. Le troisième se précipite vers lui en hurlant… Le fouet d'Isabeau s'enroule en claquant autour de son bras droit. Il pousse un cri de surprise. Le chevalier pare trois attaques rapprochées. De leur côté, Gilles et Princesse vont porter secours à maître Pirus.

— Il se vide de son sang! Il va mourir! gémit Algarante.

— Je m'en occupe, dit Princesse avec calme.

— Ne touchez pas à mon ami!

Princesse plante son regard sombre dans celui, bleu pâle, d'Algarante.

— Êtes-vous barbier[1]? Alors laissez-moi faire. J'ai soigné plus de blessures de ce genre que vous n'avez raccommodé de chausses.

Gilles se relève et constate que l'alliance du fouet et de l'épée fait merveille. Un des chevaliers noirs gît, gravement blessé. Un second paraît en grande difficulté.

— Avant peu, l'affaire sera réglée, assure l'écuyer. Tenez bon, maître Pirus, vous êtes entre de bonnes mains.

L'inventeur sourit. De ses petits yeux tendres et espiègles, il considère la jeune fille qui examine sa blessure.

— Oh, mais que vois-je? Une Princesse…

— Ne parlez point, messire, et concentrez-vous sur votre vie de peur qu'elle ne vous échappe.

---

1. Barbier: au Moyen Âge, les barbiers (barbiers-chirurgiens) soignaient les blessés sur les champs de bataille.

Mais le vieil homme semble déjà proche des portes de la mort, et sans doute sont-ce celles du paradis à en croire l'expression de son visage.

— Princesse des anges, murmure-t-il.

Il ferme les yeux. Algarante s'effondre en larmes. Gilles blêmit, balbutiant le nom de l'inventeur.

De l'autre côté de la table, il reste un chevalier noir encore debout, le plus combatif, le plus redoutable. Il vient de porter un coup si rude à Yvain que celui-ci a failli en tomber à la renverse. Mais le choc a pour effet de redoubler sa rage. Donnant coup sur coup, il oblige son adversaire à reculer jusqu'à le faire trébucher et tomber. La pointe de l'épée du Félin piquée sur sa gorge, il demande grâce.

Alors l'écuyer traverse la caverne, criant sa fureur, poignard brandi. Il est intercepté de justesse par son maître qui le tance :

— Eh bien, Gilles, que te prend-il ? Est-ce ainsi que je t'ai appris à conclure un combat ?

— Maître... maître Pirus est mort ! bredouille le garçon suffoquant de chagrin.

Un silence funèbre s'abat, bientôt rompu par un tumulte de voix et de pas précipités. Un groupe d'hommes surgit de la galerie, brandissant toutes sortes d'armes : poignards, épées longues, sabres courbes, masses d'armes, bâtons de combat... Ils sont maintenant plus d'une trentaine face aux provinciaux. Quelques-uns viennent relever les chevaliers noirs.

— Sèche tes larmes, Gilles, et combats bravement, dit Yvain.

L'écuyer approuve de la tête, renifle et ramasse l'épée du Templier qui a profité de l'instant d'inattention du Félin pour se relever et rejoindre les truands. Isabeau, qui s'est elle aussi emparée d'une lame, se rapproche de ses compagnons :

— Ma seule satisfaction dans cette aventure, confie-t-elle, sera de mourir à vos côtés. Ce n'est pas de la sorte que je voyais s'unir nos destins, mais enfin... puisque ainsi en a décidé le Seigneur.

— Êtes-vous certaine de ce que le Seigneur a décidé ? dit le chevalier.

Ils échangent un regard... puis un baiser. Les malandrins sifflent et rient de la touchante scène. Ils n'attendent que l'ordre du chevalier noir pour attaquer.

— Vous êtes braves et je vous admire, déclare celui-ci, s'adressant aux provinciaux. Cependant, je dois vous éliminer. Mais au ciel vous trouverez un monde meilleur que celui dans lequel je vais maintenant retourner. Nous voulions le secret du papyrus, nous avons échoué. Je regrette que mon compagnon ait dû tuer le vieux sage. Sincèrement, en chevalier je vous le dis...

— Finissons-en, coquin ! lance le Félin. Je ne crois pas plus à votre sens de la chevalerie qu'à la transmutation du loup en mouton.

Vexé, le Templier noir ordonne la mise à mort. Excités comme des enfants autorisés à se livrer à leur jeu
favori, en l'occurrence le meurtre, les tueurs du Loup
de Mer avancent vers leurs victimes. Deux grandes
brutes, plus avides de sang que les autres, s'élancent
avec un grognement bestial. En deux coups d'épée, ils
perdent la vie… et les autres le sourire.

Et soudain, c'est l'attaque !

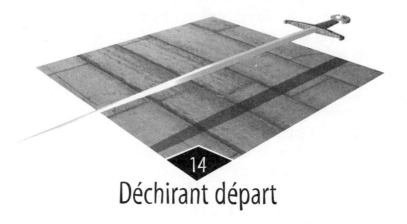

14

Déchirant départ

— En ligne, contre la table! s'écrie Yvain. Gilles, les Fumerolles-de-la-confusion!

Les deux guerriers tirent de leur cotte de minuscules fioles qu'ils projettent violemment sur le sol. Elles éclatent en dégageant une épaisse fumée noire. Surpris, les malandrins s'immobilisent; Gilles en profite pour planter son épée dans le ventre du plus proche…

— Un de moins! triomphe-t-il.

Le combat s'engage alors vraiment. Profitant de l'âcre brouillard qui se répand, les Auvergnats sèment la pagaille chez l'ennemi. À tout instant on entend au milieu des cris et des jurons l'écuyer compter ses victimes:

— Cinq!

Jusqu'à ce cri déchirant:

— Ah! Maître, je suis touché!

Battant l'air de son épée, le Félin le rejoint. Il élimine un gros truand chauve qui s'apprêtait à achever le garçon.

— Yvain! À moi! hurle à son tour Isabeau.

Le chevalier fait volte-face, mais ne distingue dans la fumée qu'un ballet confus de silhouettes gesticulantes. D'un coup de *patte*, il élimine un homme qui lui masque la vue. Il aide Gilles, blessé au ventre, à s'adosser contre une colonne, puis il disparaît dans l'âcre brouillard. Il retrouve Isabeau étendue tout près de la table, un carreau d'arbalète planté dans l'épaule. Princesse, juchée sur le dos d'un malandrin, brandit un couteau avant de le lui planter dans le cœur. Yvain se penche sur la fille du seigneur de Montbrisac.

— C'est la fin, mon chevalier, lâche-t-elle avant de s'évanouir.

Le Félin se redresse. Il n'est plus que rage et désespoir.

Du fond du repaire arrivent des cris et des cliquetis d'armes.

— Messire, on combat du côté de la sortie! s'écrie Algarante qui s'est armé d'une dague pour entrer dans la bataille.

Le Félin hésite; il ne veut pas abandonner Isabeau. Un malandrin l'attaque soudain en poussant un hurlement de rage... et meurt, la lame du chevalier entre les côtes. Des appels, des cris de douleur et l'agitation des ombres dans la caverne pressent le chevalier de se décider. Il force le passage en tranchant à tout-va, jusqu'à ce qu'il tombe sur un soldat casqué, dont la tunique outremer est ornée du lys royal. Il retient son bras de justesse, c'est un sergent du roi !

— Vous êtes sauvés, messire ! assure l'homme. Avant peu, ce nid de rats sera nettoyé !

En effet, comme par magie, le combat cesse. Les derniers truands rendent les armes. Un personnage de petite taille émerge de la fumée, un flambeau à la main. Yvain reconnaît immédiatement le visage de cet espion qui, depuis leur entrée dans Paris, ne les a pas lâchés.

— Messire de Bréa, je suis Jérôme Bloche, au service de Sa Majesté le roi Philippe.

— Vous arrivez à la fois bien et bien tard, messire Bloche, dit le Félin.

Il se détourne pour aller s'occuper d'Isabeau et de Gilles. L'espion le suit tout en expliquant avec un détachement indécent :

— Ma mission était de repérer les déplacements des Templiers afin qu'aucun n'échappe à la rafle[1]. À votre entrée dans Paris, j'ai tout de suite pensé que

---

1. Le vendredi 13 octobre 1307, Philippe le Bel ordonna l'arrestation des Templiers dans tout le royaume. Cet événement marqua le déclin de l'Ordre.

vous pouviez être suspects. C'est ainsi que j'ai suivi vos faits et gestes depuis votre arrivée. Grâce à vous, j'ai appris beaucoup de choses intéressantes...

Indifférent aux propos de l'espion, Yvain s'accroupit près de Gilles :

— Princesse, sauras-tu sauver mon écuyer ? interroge-t-il.

— Je le crois... s'il ne bouge point trop.

— Alors fais vite. Je vais m'occuper de damoiselle Isabeau.

Le chevalier se lève et ordonne :

— Continuez, messire.

— Oui. Donc j'ai appris entre autres choses, que nos trois frères sergents n'étaient pas plus Templiers que bons chrétiens. Ce sont de vulgaires bandits de grand chemin qui trouvèrent un jour trois sergents du Temple perdus dans le désert de Libye. Après les avoir occis, ils endossèrent leur vêture et gagnèrent le royaume de France. Car ils savaient que l'Ordre était fort riche. Sur le bateau qui leur fit traverser la Méditerranée, ils rencontrèrent un marchand syrien, vous savez, celui qui vendit à maître Algarante...

L'homme s'interrompt. Le Félin ne l'écoute plus. Il prend dans ses bras Isabeau qu'il allonge avec douceur sur la table. Elle ouvre alors les yeux et sourit en voyant le visage de son amour.

— M'avez-vous rejointe au paradis ? murmure-t-elle.

— Je ne vous ai point quittée, répond le Félin.

— Puisse-t-il en être ainsi... pour l'éternité ! susurre d'une voix apaisée, presque inaudible, la jeune femme.

Tandis que le chevalier examine sa blessure, un petit homme sort de l'ombre de la table :

— C'est fini ? demande-t-il.

Il reçoit aussitôt une claque sur la tête de la main de maître Algarante :

— Te voici, poltron ! Non, ce n'est pas fini !

Durant deux semaines, leur convalescence immobilise les Auvergnats chez maître Algarante, si bien que l'impatience devient insoutenable. Ils ne veulent plus qu'une chose : rentrer chez eux. Algarante en est brisé de tristesse, mais il lui faut bien accepter que son ami Pirus ne puisse rester éternellement auprès de lui. Quant à Gilles...

Les adieux sont déchirants. Princesse est en larmes lorsque les serviteurs de l'alchimiste allongent l'écuyer sur l'une des trois Chariotes-de-grand-chemin alignées dans la rue des Chaussetiers. Elle embrasse ses mains, lui caresse le visage, ne regarde que lui.

— Pourquoi ne peux-tu venir avec moi ? lui reproche Gilles pour la énième fois.

Pour la énième fois, Princesse lui fait la même réponse :

— Reste, toi. Paris est une ville merveilleuse, nous serons les souverains du quartier Saint-Michel…

De son côté, maître Pirus, également allongé sur une Chariote-de-grand-chemin, tente de réconforter son ami Algarante, dont le visage est lui aussi décomposé de chagrin.

— Tu m'écriras, n'est-ce pas? dit Algarante la gorge serrée.

— Bien sûr, dès que j'aurai résolu l'énigme du Papyrus du Soleil, répond maître Pirus.

— Quoi? Point avant, vieux scorpion?!

Pirus sourit, puis grimace de douleur en portant la main à sa poitrine bandée. Sur la troisième Chariote-de-grand-chemin, Isabeau ne parvient pas à lâcher la main du Félin :

— Mais enfin, damoiselle, laissez-moi monter à cheval! lui dit-il en riant. Sinon comment pourrai-je nous ramener chez nous?

Elle aussi rapportera de son voyage une belle blessure de guerre, mais pas seulement cela! Tout autour d'elle ont été arrimés ses achats et souvenirs de Paris…

Après un dernier adieu, le convoi se met en route, escorté jusqu'à la porte Saint-Marcel par les gardes royaux.

Épilogue

Aux premières lueurs de l'aube, du haut des remparts de la forteresse de Montbrisac, un guetteur met tout à coup sa main en visière. Un curieux convoi vient de sortir du bois : un cavalier en armure, suivi de trois Chariotes-de-grand-chemin.

— Les voilà ! Sonnez le Coucou d'Alarme !

Le seigneur de Montbrisac, ainsi averti du retour de ceux qu'il appelle « les parties de son âme », devient comme fou. Encore en chemise et hauts-de-chausses, il se précipite sur les remparts. Mais apercevant le Félin seul en selle, paraissant mener un convoi mortuaire, il s'étrangle d'épouvante.

— Mon cheval ! hurle-t-il.

Il franchit le pont-levis comme une tornade, puis rejoint les voyageurs comme un typhon.

— Ah, mon chevalier !

Il saute de sa monture pour se jeter littéralement sur les Chariotes-de-grand-chemin :

— Ma fille ! Mon Gilles ! Mon maître Pirus ! Dieu tout-puissant, mais dans quel état me revenez-vous !

— Allons, calmez-vous mon père, dit Isabeau rayonnante. Nous avons fait très bon voyage, et j'ai rapporté plein de jolies choses.

Un mois plus tard…

Les deux vieux savants, l'un et l'autre en pleine forme, surgissent de l'antre de maître Pirus, au bas du donjon.

— Nous avons trouvé ! Nous avons trouvé le secret du papyrus ! hurle l'inventeur en agitant une feuille de parchemin.

Très vite, toute la maison de Montbrisac se rassemble autour de lui, y compris François de Molène qu'on a marié deux jours plus tôt avec… Francine ! Son père adoptif n'a pas mis deux heures à faire ses bagages pour répondre à l'invitation du seigneur Hugues. Garrapie aurait aimé le suivre, mais en punition de sa trahison, son maître l'a envoyé pour quelques mois servir Princesse à la cour des Coquins de Saint-Michel.

— Vous savez que le cahier syrien, acquis par mon ami Algarante, nous donne les clés du langage des anciens Égyptiens ? (Tout le monde approuve de la tête.) Eh bien, ça y est! Nous avons traduit le papyrus.

— Je confirme, dit Algarante qui gonfle la poitrine de fierté.

Les savants laissent malicieusement monter la tension.

— Eh bien, chers maîtres! Dois-je vous demander la suite à genoux? s'impatiente Hugues de Montbrisac.

— Certes non, répond maître Pirus. Voici ce que nous avons appris : le Papyrus du Soleil révèle en fait l'emplacement d'une tombe, dans un lieu mystérieux appelé Vallée des Rois.

— Ah? Et alors?

Maître Algarante prend le relais :

— La tombe serait celle d'un pharaon nommé... Toutan... Toutan quelque chose...

— Toutankhamon! lui souffle son ami.

— Oui. Voilà! conclut l'alchimiste.

L'assemblée paraît déçue.

— Et cela est-il si extraordinaire? demande Isabeau.

Maître Pirus soupire en haussant les épaules :

— Oui, pour nous autres savants, c'est une belle conclusion.

— Et la malédiction? intervient Gilles.

— Il en est question en effet, rétorque maître Pirus, formulée ainsi : «Gare à toi qui oseras profaner ce sanctuaire ! Un invisible serpent te mordra. » C'est tout. Mais tu sais, mon garçon, malédiction rime avec superstition.

— Qui sait… ? fait maître Algarante.

Fin

À Nathalie, qui aime Paris
au moins autant qu'Isabeau !

Table

LE FÉLIN

Agent secret médiéval

6273

Composition Chesteroc International Graphics
Achevé d'imprimer en Europe (France)
par Maury-Eurolivres – 45300 Manchecourt
le 29 juillet 2002.
Loi n° 49-956 du 16 juillet 1949
sur les publications destinées à la jeunesse.
Dépôt légal juillet 2002. ISBN 2-290-31797-7

Éditions J'ai lu
84, rue de Grenelle, 75007 Paris
Diffusion France et étranger : Flammarion